Oetinger

James Krüss (1926 – 1997), geboren und aufgewachsen auf der Insel Helgoland, ist einer der bekanntesten deutschen Kinder- und Jugendbuchautoren. Seine Bücher wurden in mehr als 30 Sprachen übersetzt und sind weltweit erfolgreich. »Timm Thaler oder Das verkaufte Lachen« zählt inzwischen zu den Klassikern der Kinderliteratur. Für »Mein Urgroßvater und ich« erhielt er den Deutschen Jugendliteraturpreis und für sein Gesamtwerk den Hans-Christian-Andersen-Preis, die höchste internationale Auszeichnung für Kinder- und Jugendliteratur.

James Krüss

Mein Urgroßvater, die Helden und ich

Eine kurz gefasste Heldenkunde in Versen
und Geschichten, erfunden und erzählt
in mehreren Speicherzimmern
von meinem Urgroßvater und mir.
Säuberlich niedergeschrieben zu Unterhaltung
und Belehrung für Kinder und Familien von
James Krüss

Geschmückt und anschaulich gemacht
durch zahlreiche Illustrationen von
Jochen Bartsch

Verlag Friedrich Oetinger · Hamburg

Mehr Geschichten von Boy und seinem Urgroßvater

Mein Urgroßvater und ich

Illustrationen von Jochen Bartsch
Einbandillustration von Heiner Rothfuchs
Einbandgestaltung von Jan Buchholz
Reproduktion: HSB GmbH, München
Druck und Bindung: GGP Media GmbH,
Karl-Marx-Straße 24, 07381 Pößneck, Deutschland
Printed 2017
ISBN 978-3-7891-4042-6

www.oetinger.de

Inhalt

8 **Der Montag**, *an dem ich fußkrank zu meinem fußkranken Urgroßvater umziehe. Handelt von hausfraulicher Ordnung und schöpferischer Unordnung, zeigt, dass der ängstliche Jan Janssen einmal ein Held gewesen ist, beweist am Beispiel eines Ritters, dass hundert Leichen noch keinen Helden machen, und erklärt, wie nützlich die Rückseiten von Tapeten sein können.*
18 Die Geschichte von Jan Janssen und der schönen Lady Violet
28 Die Ballade von Herkules in der Unterwelt
34 Die Ballade vom Ritter Grausegrün
36 Die Ballade vom Landsknecht in Flandern
39 Das Möwenlied
40 Das Lied von Kater und Sardelle

42 **Der Dienstag**, *der uns in das Südzimmer des Speichers führt. Handelt von Salonhelden, der Zivilcourage und der List, erzählt eine Geschichte aus gutem Grunde zweimal, zeigt, dass es wichtig ist, einer Gefahr ins Auge zu sehen, stellt den ersten richtigen Helden vor, belauscht zwei Großmütter, die eine Ballade schmettern, und endet ein bisschen traurig.*
45 Die Ballade von Henry und den achtzehn Tanten
49 Die Geschichte vom Bären und den Pinguinen
53 Die Geschichte vom Pinguin und dem Bären
59 Mauseballädchen
62 Die Ballade von der Maus, die die Katze vertrieb
64 Der Bär und das Eichhorn
67 Die Geschichte vom König und dem Floh
71 Die Ballade vom König und dem Hirten
78 Die Ballade von Herkules und den Amazonen

84 **Der Mittwoch,** *an dem wir lachen, weil wir traurig sind. Handelt demgemäß von lustigen Helden. Stellt fest, dass die Untergroßmutter für falsche Helden schwärmt und dass Spaßmachen von Beruf mürrisch macht, zeigt, dass Herkules der erste Held der Arbeit war und dass ein Ferkel mit einer Armbanduhr gar nicht so absonderlich ist. Endet ungewöhnlicherweise mit einem Gebet.*
88 Die Ballade von Martinus Meurer
91 Die Geschichte von Pommelot, dem unbesiegten Ritter
98 Die Geschichte von Pepe, dem Clown
111 Die Ballade von Herkules und dem Augiasstall
115 Das Galgenlied eines Räubers
116 Das Galgenlied eines leibeigenen Bauern
119 Die Ballade von der klugen Gans
121 Das Ferkel mit der Armbanduhr

124 **Der Donnerstag,** *an dem meine Ferse operiert wird. Handelt von Tyrannen und ihren Untertanen und von politischen Eiern, zeigt einen Helden in doppelter Beleuchtung, schildert, was ein sogenanntes Hundeleben ist, lässt einen Bären von Ameisen bekrabbeln und schließt mit dem längst fälligen Lob auf die Obergroßmutter.*
129 Die Ballade von Herkules und den Feuerrossen
134 Die Geschichte von den hart gekochten Eiern
144 Das Lied vom braven Herrn Soldaten
148 Der Weihnachtsbaum im Niemandsland oder Der hehre Held
151 Der Weihnachtsbaum im Niemandsland oder Der rasende Marzipanbäcker
158 Ein Hundeleben
163 Der Bär und die Ameisen
166 Das Lied zum Preise der Obergroßmutter

168 **Der Freitag,** *an dem es meinem Urgroßvater nicht gut geht und an dem ich mit Jonny Flöter Tante Julie besuche. Handelt von Denkmälern jeder Art, lobt Herzog Oskar, der keine Helden nötig hat, lässt Steine reden und eine Wildsau zu Recht in ein Wappen setzen*

und zeigt am Beispiel eines Metzgers und mehrerer Kindergärtnerinnen, was ein zähneknirschender Held ist.
173 Spruch auf ein Fürstendenkmal
174 Grabspruch für einen Maurer
174 Die Ballade vom König und dem Mädchen
180 Die Ballade von Herzog Oskar dem Großen
182 Die Ballade von Herkules und den zwei Schwestern
185 Die Geschichte vom Stein des Anstoßes
189 Wie die Wildsau in das Wappen derer zu Bingenbach kam
194 Die Münzen mit dem Nerokopf
196 Der Glöckner und der General
200 Der Metzger und die Kindergärtnerinnen

206 **Der Samstag,** *an dem ich eine Heldentat zu tun glaube und an dem im Hause doppelte Aufregung herrscht. Enthält eine Geschichte von der Obergroßmutter und eine von Onkel Harry, erzählt die blutigste Geschichte des ganzen Buches und endet mit sehr großer Müdigkeit.*
214 Die Geschichte vom übertölpelten Nussknacker
222 Die Erzählung des Gaspar Lencero
233 Die Ballade von Heinrich Haltaus
236 Die Ballade von Herkules und der Hirschkuh
239 Onkel Harrys Geschichte

244 **Der Sonntag,** *an dem wir gewaltig frühstücken und über Siegfried reden. Enthält das letzte Abenteuer des Herkules und die Geschichte eines Hummer-Urgroßvaters, stellt einen Helden nach dem Herzen des alten Boy vor und endet höchst merkwürdig.*
247 Siegfrieds Schwert
251 Jung Siegfried
257 Die Ballade von Herkules und den Paradiesäpfeln
265 Die Geschichte vom uralten Hummer
271 Die Geschichte eines Knaben

Der Montag, an dem ich fußkrank zu meinem fußkranken Urgroßvater umziehe. Handelt von hausfraulicher Ordnung und schöpferischer Unordnung, zeigt, dass der ängstliche Jan Janssen einmal ein Held gewesen ist, beweist am Beispiel eines Ritters, dass hundert Leichen noch keinen Helden machen, und erklärt, wie nützlich die Rückseiten von Tapeten sein können.

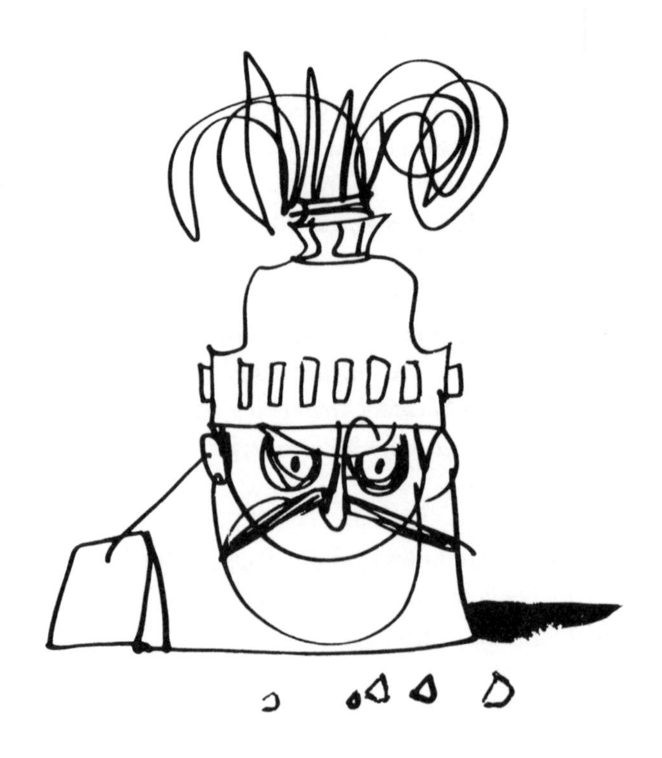

Der
Montag

Als ich zwölf Jahre alt war, zählte mein Urgroßvater schon sechsundachtzig Jahre. Aber sein Körper schien immer noch gesund, sein Geist war immer noch wach. Im Sommer ging er allmorgendlich hinunter zur Brücke unserer kleinen Insel und redete mit den Fischern, die vom Fang zurückkehrten. Im Winter besserte er immer noch Netze aus oder schnitzte Korken für die Leinen der Hummerfangkörbe, die auf der Insel Tiener hießen.

Aber kurz nach seinem sechsundachtzigsten Geburtstag – es war im Oktober – traf ihn ein Schlaganfall, wie ein Blitz einen Baum trifft. Das brachte meinen Urgroßvater zwar nicht um (dafür war er immer noch zu kräftig), aber es zwang ihn für zwei Monate ins Bett. Als er wieder aufstehen konnte, wollten seine Beine nicht mehr so, wie er wollte. Deshalb wurde für ihn ein Rollstuhl angeschafft.

Dieses Möbel auf Rädern, das der Urgroßvater anfangs verflucht hatte, gefiel ihm mit der Zeit immer besser. Bald bewegte er sich nur noch im Rollstuhl durch die Wohnung.

Das aber missfiel meiner Großmutter, bei der er lebte. Sie rief deshalb mich zu Hilfe, sozusagen als Beruhigungsmittel für den rollwütigen Greis. Ich war nämlich erstens der Liebling meines Urgroßvaters und zweitens sein Schüler als Dichter und Erzähler. Außerdem hatte ich zu jener Zeit eine vereiterte Ferse. (Ich hatte aus purer Eitelkeit zu enge Schuhe getragen.) So brauchte ich vorerst

nicht zur Schule zu gehen und konnte mich ganz dem Urgroßvater widmen.

Die Großmutter, zu der ich nun umquartiert wurde, wohnte auf dem Oberland der Insel Helgoland, auf dem Felsen. Deshalb nannten wir sie die Obergroßmutter. Die andere Großmutter, die am Fuße des Felsens im Unterland wohnte, hieß natürlich Untergroßmutter.

Es war im Dezember, als ich zur Obergroßmutter zog. Sie war zwei Tage vorher in meinem Elternhause erschienen und hatte meiner Mutter erklärt, dass der große Boy ihr mit seinem Rollstuhl den ganzen Haushalt durcheinanderbringe. Wenn das so weitergehe, müsse sie noch Verkehrsschilder in der Wohnung aufstellen. »Schickt ihm«, hatte sie zum Schluss gesagt, »den kleinen Boy. Dann können sie zusammen dichten und es herrscht Ruhe im Haus.« (Der große

Boy war niemand anders als mein Urgroßvater. Der kleine Boy war ich. Wir wurden nämlich beide mit Boy angeredet.)

Eines klaren frostigen Sonntags hinkte ich also mit meiner vereiterten Ferse zum großen Boy in die Trafalgarstraße, der, als er mich begrüßte, ein Auge zukniff.

»Die Weiber haben beschlossen, dass wir wieder mal zusammen dichten«, sagte er. »Sollen wir ihnen den Gefallen tun?«

»Natürlich«, antwortete ich.

»Wann haben wir eigentlich zum letzten Mal gedichtet und Geschichten erfunden, Boy?«

»Das haben wir doch oft getan.«

»Ich meine, Boy, wann wir zum letzten Mal längere Zeit zusammen gereimt und gedichtet haben.«

»Das war vor zwei Jahren, Urgroßvater. Als Anneken und Johanneken die Masern hatten.«

»Richtig, richtig!«

Mein Urgroßvater rückte sich in seinem Rollstuhl in eine bequemere Lage und sagte zu seiner Tochter, meiner Obergroßmutter: »Heize ab morgen die beiden Kammern unter dem Dach. Da können wir dichten und sind dir aus dem Weg.«

»Ich soll die Speicherkammern heizen?«, rief die Obergroßmutter entsetzt. »Weißt du, wie viel Kohlen das kostet? Denkst du, wir sind Millionäre?«

»Gut«, sagte mein Urgroßvater, »dann dichten wir hier unten in der Wohnung, wo es warm ist.«

»Hier unten?«, schrie die Obergroßmutter. »Das ist ausgeschlossen. Ein Haushalt, in dem gedichtet wird, geht zugrunde. Ich habe meine Erfahrungen. Dichtet gefälligst in den Schlafzimmern im ersten Stock.«

»Betten sind zum Dichten gut«, erwiderte der große Boy. »Aber Schlafzimmer ersticken jeden schönen Einfall. Im ersten Stock dichten wir auf keinen Fall.«

»Auf keinen Fall!«, wiederholte ich.

»Die Männer sind alle gleich!«, murmelte die Obergroßmutter. Ebenfalls murmelnd, fügte sie hinzu: »Ich heize ab morgen den Speicher.«

Das war für uns Dichter ein Sieg auf der ganzen Linie. Ebenso beruhigt wie vergnügt gingen wir im ersten Stock schlafen.

Am nächsten Morgen allerdings – am Montag – war zunächst an einen Umzug auf den Speicher nicht zu denken. Meine Obergroßmutter und vier Frauen aus der Nachbarschaft verwandelten das herrliche Durcheinander der beiden Speicherkammern in jenes grässliche langweilige Nebeneinander, das die Hausfrauen Ordnung nennen. Das dauerte bis zum frühen Nachmittag. Zuerst waren Besen, Scheuerlappen und Bohnerwachs an der Reihe, dann wurden meterweise Gardinen aufgezogen und gerafft, danach wurde ein Gebirge von Kissen auf den Speicher verlagert und schließlich traten Staubwedel in Tätigkeit.

Wir zwei Dichter saßen währenddessen verschüchtert in einer Ecke des Wohnzimmers, bekamen mittags eine Verlegenheitssuppe aufgetischt, die keinem von uns schmeckte, und atmeten auf, als die Obergroßmutter gegen drei Uhr endlich meldete: »Ihr könnt nach oben ziehen. Den Rollstuhl bringt euch Jasper hinterher.«

Hinkend und schwerfällig kletterten wir beiden Boys über die steile Treppe unters Dach. Beim Transport des Rollstuhls, den Onkel Jasper heraufschleppte, mussten wir alle Hand anlegen, weil er so sperrig war. Aber endlich war auch das Dichterfahrzeug oben und mein Urgroßvater nahm es sogleich in Betrieb.

Der Speicher war zum Erstaunen verändert. Im großen mittleren Teil, der zum Trocknen von Wäsche und Fischen diente, lag ein schon leicht verblichener roter Treppenläufer. Er reichte von der Tür meiner Kammer im Norden bis zur Tür der Urgroßvaterkammer im Süden.

»Na also«, sagte der große Boy, »endlich werden die Dichter anerkannt. Man empfängt sie mit roten Teppichen. Aber ich fürchte, unsere Zimmer sind zum Dichten noch nicht geeignet. Wir müssen die schöpferische Unordnung, die wir nötig haben, wohl selbst herstellen.«

Der Urgroßvater hatte wie immer recht. Beide Kammern sahen aus, als hätte man sie für eine Möbelausstellung hergerichtet. Auf Tischen und Kommoden lagen Häkeldecken; den kleinen Fenstern nahmen reich gefältelte Gardinen das letzte bisschen Sicht und Licht; und auf den Sofas und Sesseln waren Kissen, die durch einen Schlag mit der Handkante allesamt Hasenohren bekommen hatten, so üppig verteilt, als handle es sich um Haremszimmer. Als einziges Zugeständnis an die Dichter lagen in jeder Kammer mehrere Seemannskalender, peinlich geordnet, aufeinander. Die Lust am Dichten konnte einem beim Anblick solcher Kämmerchen vergehen.

»Wenn die Hausfrauen triumphieren, unterliegen die Dichter«, seufzte mein Urgroßvater. Er war im Rollstuhl, den er an den Rädern bewegte, zu mir herübergekommen. Der kleine bullernde Kanonenofen wärmte die Kammer bereits.

»Dichten«, fuhr der Alte fort, »werden wir auf Tapeten, Boy. Auf den Rückseiten. Ich habe die Tapeten eben auf dem Speicher entdeckt. Gleich links vor deiner Tür.«

»Aber damit soll doch vor Weihnachten das Wohnzimmer tapeziert werden, Urgroßvater.«

»An den Wänden sieht man nur die Vorderseite der Tapete, Boy. Überhaupt sieht man die Rückseiten selten auf der Welt, möchte ich hinzufügen.«

Was sollte ich gegen so gescheite Bemerkungen einwenden? Ich holte also auf Weisung des Urgroßvaters eine Tapetenrolle in die Kammer, schloss die Tür vorsichtshalber hinter mir ab und sagte: »Wir können anfangen.«

»Quatsch!«, knurrte mein Urgroßvater. Dabei zog er aus einer

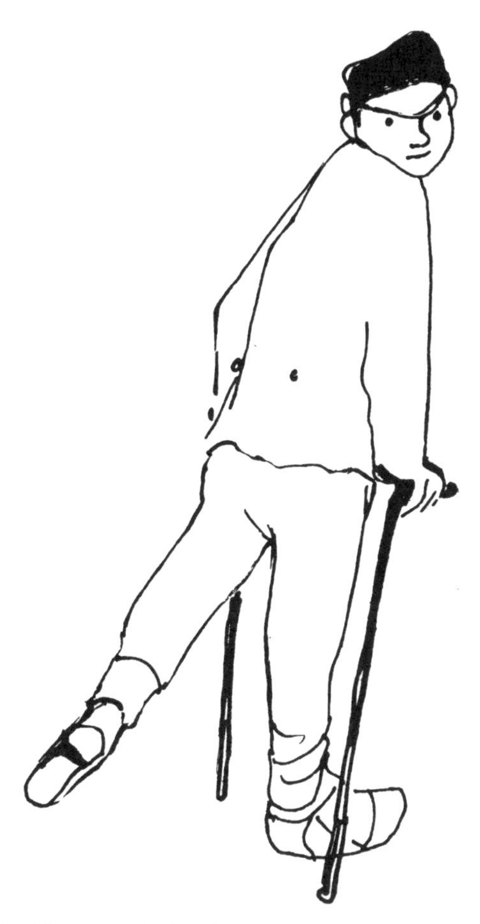

Gesäßtasche seiner dicken dunkelblauen Fischerhose zwei Zimmermannsbleistifte heraus. »Gleich anfangen ist Quatsch!«, wiederholte er. »Erstens will ich rauchen, zweitens müssen diese Kissen und Gardinen verschwinden, drittens kann ich nicht nach der Uhr dichten, viertens brauche ich eine Idee.«

»Gardinen und Kissen weg! Tabak und Idee her!«, wiederholte ich gehorsam.

Nun rollte ich die Gardinen nach oben und legte sie auf die Leiste, an der sie hingen, warf alle Kissen auf das kleine Sofa, hinkte über den roten Läufer zur Urgroßvaterkammer, um Pfeife, Tabak und Feuerzeug zu holen, schloss zum zweiten Mal die Tür hinter mir ab, legte mich in den Kissenberg auf dem Sofa und schob die Unterlippe vor.

Ich pflege, wie es mein Urgroßvater tat, heute noch die Unterlippe zu schürzen, wenn mir eine Idee kommt. Aber das umgekehrte Verfahren hilft leider selten: Wenn ich die Unterlippe schürze, kommt mir nicht unbedingt eine Idee.

So war es auch damals in der Speicherkammer. Während mein Urgroßvater qualmte und ein bisschen hin und her rollte, lag ich in den Kissen, starrte durch das kleine Fenster auf die Nachbardächer und hatte nicht den Fetzen einer Idee im Kopf.

Meinem Urgroßvater schien es anders zu gehen. Ich sah, wie er langsam, im Tempo einer aufsteigenden Idee, die Unterlippe immer weiter vorschob, bis er sie plötzlich wieder einzog, einen Zug aus der Pfeife nahm und sagte: »Boy, ich hab's!«

»Was hast du?«, fragte ich verwirrt.

»Eine Idee, Boy! Ich glaube sogar, eine gute Idee. Du erinnerst dich, dass wir vor zwei Jahren mit der Sprache gespielt haben.«

Ich nickte.

»Jetzt sollten wir sie so weit beherrschen, dass wir von wichtigeren Dingen reden können, von der Welt, vom Leben und vom Menschen.«

»Was kann man von den Menschen viel reden, Urgroßvater? Jeder hat eine Nase, zwei Augen, zwei Ohren, einen Mund und vier Urgroßväter.«

»Und mancher Mensch«, ergänzte der Alte, »kann uns ein Vorbild sein, ein Held.«

»Helden finde ich langweilig«, raunzte ich. »Ich mag die Geschichte von Siegfried nicht.«

»Ich auch nicht«, lachte mein Urgroßvater. »Ich finde nämlich, dass Siegfried überhaupt kein Held ist.«

Jetzt war ich doch interessiert. »Wieso«, fragte ich, »ist Siegfried kein Held?«

»Weil man über Helden verschiedener Meinung sein kann, Boy. Das ist ja gerade meine Idee, dass wir durch Geschichten und Gedichte herauszubringen versuchen, wer und was ein Held ist. Ich zum Beispiel bin der Meinung, dass man immer nur in einem bestimmten Augenblick, in einer besonderen Situation, ein Held sein kann, nicht aber von der Wiege bis zur Bahre. Zum Beispiel glaube ich, dass Jan Janssen einmal ein Held gewesen ist.«

Über diese Bemerkung musste ich schrecklich lachen; denn über die Ängstlichkeit von Jan Janssen gab es auf unserer Insel die komischsten Geschichten. Deshalb fand ich es kurios, dass mein Urgroßvater ausgerechnet Jan Janssen einen Helden nannte. Ich sagte daher, er müsse es mir erklären.

»Will ich gern tun, Boy«, sagte der Alte. »Es ist allerdings eine etwas längere Geschichte. Wenn du Geduld hast …«

»Natürlich habe ich Geduld«, unterbrach ich ihn; denn ich brannte darauf, von Jan Janssens Heldentum zu erfahren.

»Dann hör zu!«

Mein Urgroßvater lehnte sich bequem in den Rollstuhl, zog den Aschenbecher auf dem Tisch in seine Reichweite, paffte noch einmal ausgiebig und erzählte:

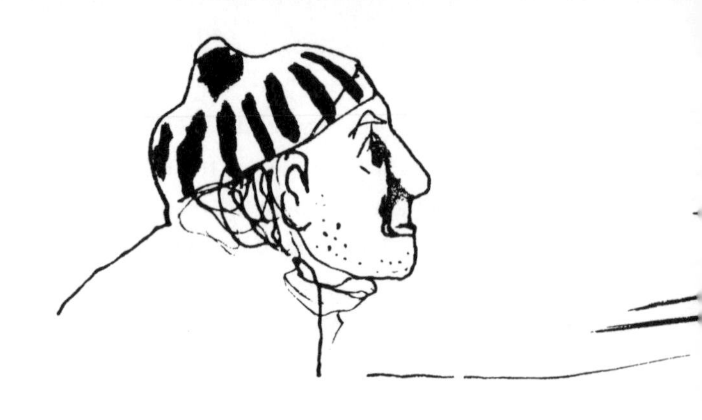

Die Geschichte von Jan Janssen und der schönen Lady Violet

Jan Janssen war zu seiner Zeit der Wetterfrosch der Insel Helgoland. Kein Sturm, den er nicht vorausgesagt, keine Trockenheit, die er nicht angekündigt hätte. Er kannte die Gesetze des Himmels und des Meeres und er kannte ihre Launen. Die Schiffer holten sich Rat bei ihm, ehe sie ausfuhren. Die Fischer berieten sich mit ihm, wenn die Heringsschwärme ausblieben oder wenn die Hummer aus unbegreiflichen Gründen die Felsgründe verließen, auf denen sie seit Jahrzehnten gehaust hatten.

Nun war Jan Janssen ein kleiner Mann, dessen Ängstlichkeit sprichwörtlich geworden war. Wenn jemandem der Mut fehlte, irgendetwas zu tun, sagte man: »Benimm dich nicht wie Jan Janssen!«

Jan hatte vor Hunden ebensolche Angst wie vor Katzen und Mäusen; er fürchtete den englischen Gouverneur der Insel ebenso sehr wie den Apotheker, der ihn zu verspotten pflegte. Er fürchtete sich auch im Dunkeln und zitterte, wenn er ausnahmsweise einmal bei rauer See mit hinaus zum Fischfang fuhr. Jan Janssen hatte, kurzum, ein Hasenherz.

Sein genaues Gegenteil war damals die schöne Lady Violet aus London, die Schwester des englischen Gouverneurs, die auf der Insel bei ihrem Bruder lebte. Jan Janssen verehrte sie insgeheim,

weil sie genau das besaß, was ihm mangelte: einen Mut, der an Tollkühnheit grenzte. Sie hatte das Gesicht eines Engels, aber das Herz eines Löwen.

Eines Tages sah Jan vom Felsrand des Oberlandes aus, dass Lady Violet aufs Meer hinausruderte, obwohl das Warnungszeichen für Sturm, ein schwarzer Ball, am Mast der Brücke aufgezogen war. Für Jan Janssen hätte es dieser Warnung gar nicht bedurft. Für ihn standen in den Wolken wie im Wasser längst alle Zeichen auf Sturm. Deshalb schüttelte er besorgt den Kopf über die hinausrudernde Lady. Er schwenkte sogar die Arme in der Hoffnung, sie würde ihn sehen und sich warnen lassen. Aber sie sah den winkenden Jan nicht. Mit kräftigen Schlägen stieß sie das Boot vorwärts, immer weiter hinaus.

»Wenn sie nicht so verteufelt geschickt wäre, würde ich keinen Pfifferling mehr für ihr Leben geben«, murmelte Jan. »Das geht nicht gut.« Er seufzte und ging heim, um sich einen Tee zu machen.

Eine Stunde später aber trieb es ihn voller Unruhe wieder hinaus, um nach der Lady zu sehen. Sie war nur noch ein kleiner schwarzer Punkt weit draußen im Wasser, und der Sturm, das wusste Jan, stand unmittelbar bevor. Immerhin konnte er durch das Fernglas erkennen, dass die Lady das Boot schon gewendet hatte und wieder der Insel zuruderte.

»Aber was nützt das?«, murmelte er. »Der Sturm ist zu nah und Lady Violet zu weit draußen!«

Er hatte noch nicht ausgesprochen, als vom Meer her die ersten Windstöße kamen und bald darauf die ersten Tropfen. Jan wusste, dass sich ein Sturm ankündigte, wie ihn die Insel selten erlebt hatte. Er rannte nach Haus, zog sich Gummistiefel und Ölzeug an, stülpte sich den Südwester über den Kopf, verknotete ihn unter dem Kinn und stapfte hinunter zur Brücke im Unterland.

Auf der Treppe, die am Felsrand nach unten führt, musste Jan sich mehrere Male ans Geländer klammern, weil der Sturm ihn umzuwerfen drohte. Der Regen wurde dichter und über dem Meer gingen die ersten Blitze nieder.

Als Jan endlich die Brücke erreicht hatte, sah er, dass man das Rettungsboot klarmachte. Er sah auch, dass die Fischer schon mit Geld würfelten, um auszulosen, wer ausfahren müsse.

»Das ist Wahnsinn!«, dachte Jan. »Sechs Leute setzen ihr Leben aufs Spiel für eine Frau, die ein viel besseres Boot hat und die geschickter ist als alle sechs zusammen.«

Seine sprichwörtliche Ängstlichkeit hielt ihn davon ab, seine Gedanken laut werden zu lassen. Aber als sein eigener Sohn mitwürfelte, da packte den kleinen Mann plötzlich der Zorn. Er trat zu den Männern, die im winterlich kahlen Musikpavillon standen, und

rief: »Es hat keinen Sinn auszufahren, Leute! Das wird ein Sturm, wie er in hundert Jahren nur einmal vorkommt. Den übersteht das Boot der Lady leichter als euer schwerer Kahn. Es ist Wahnsinn auszufahren!«

»Wir müssen tun, was wir können, Vater«, sagte Jan Janssens Sohn Broder. »Es ist unsere Pflicht, eine Rettung wenigstens zu versuchen.«

»Niemand hat die Pflicht, sich selbst umzubringen, Junge! Schaut euch das Meer an! Das ist erst der Anfang. Kentert ihr, gibt es sechs Leichen. Kentert die Lady, gibt es nur eine.«

Ein Fischer schob Jan Janssen einfach zur Seite. »Weg, Alter! Davon verstehst du nichts. Wir fahren aus. Und Broder fährt mit.«

Jetzt war Jan Janssen nicht wiederzuerkennen. Er packte seinen Sohn am Ölzeug und sagte ruhig, aber totenblass: »Du bist noch nicht einundzwanzig. Ich verbiete dir, mitzufahren. Ich habe nur einen Sohn.«

»Wenn du mir verbietest mitzufahren, bin ich dein Sohn nicht mehr«, sagte Broder. Auch er war blass.

»Verachte mich, wenn du willst, Junge, aber bleib leben!«, sagte Jan. »Ich verbiete dir vor allen Anwesenden mit auszufahren. Das Gesetz ist auf meiner Seite.« Er ließ den Jungen los und ging in Sturm und Regen hinaus auf die Brücke.

Die Männer im Pavillon sahen sich an. So kannten sie Jan Janssen nicht. Sie hielten ihn jetzt erst recht für einen Feigling, aber sie respektierten ihn. Es wurde tatsächlich für Broder ein anderer Fischer ausgelost, und der Junge musste, Zorn auf den Vater im Herzen, an Land bleiben.

Als das Rettungsboot ausfuhr – es hatten sich inzwischen eine Menge Insulaner an der Brücke eingefunden –, tobte das Meer wie selten. Die ersten Brecher schlugen schon über die Brücke. Himmel und Wasser flossen ineinander. Dass das Rettungsboot überhaupt ablegen konnte, war mehr einem Wunder als seemännischer Tüchtigkeit zuzuschreiben. Man sah es bald nur noch, wenn eine besonders hohe Welle es hochhob.

Bei den Insulanern an der Brücke, die den Rettern zusahen, mischten sich in den Herzen und in den Gesprächen Angst und Stolz: Angst um das Leben der Ruderer, Stolz auf ihren Mut. Für Jan Janssen, der seinem Sohn verboten hatte, mit auszufahren, hatte man nichts als Verachtung übrig.

Das Unwetter raste immer wilder. Die Zuschauer mussten sich in die Häuser zurückziehen, weil das Meer ständig höher stieg und das Wasser schon in die ersten Keller lief. Alle Insulaner waren jetzt in Bewegung. Vom Oberland aus beobachtete man das Meer mit Fernrohren. Aber der dichte Regenschleier behinderte die Sicht. Manchmal meinte einer, das Boot ausgemacht zu haben; aber dann war es nichts als der dunkle Streif einer Wellenwand.

Bald kam die Dunkelheit hinzu. Gaslaternen und Öllampen wurden angezündet. Die Menge bei der Brücke wurde immer schweigsamer.

Aber dann, plötzlich, schrie man wie aus einem Munde: »Sie kommen!« Ein Boot wurde mit einem Male nahe der Brücke sichtbar. Eine Welle hob es, danach versank es wieder.

»Es kommt nicht heran! Wir müssen Rettungsringe auswerfen!«, rief jemand. In diesem Augenblick sah man auf einem Wellen-

kamm, undeutlich, aber mit Sicherheit, das Boot wieder. Es war zum Greifen nah und dann schoss es mitten im Schaum den überschwemmten Strand hinauf. Ehe die zurückrollende Welle auch das Boot mit zurückzog, sah man eine Gestalt über Bord springen. Als die nächste große Welle kam, wurde die Gestalt landeinwärts mitgeschleift.

Zwei Männer wagten sich ein Stück ins Wasser vor; aber ehe sie zupacken konnten, wurde die Gestalt wieder mit zurückgerissen. Erst eine neue Welle trug sie wieder heran und diesmal war es den Männern möglich, sie zu packen, ehe der Sog der abziehenden Welle sie ihnen wieder entriss. Die Rettung war geglückt. Man brachte die Person an Land. Es war Lady Violet.

Auf die sechs Retter wartete man bis zum Morgen vergeblich. Ihre Leichen spülte das Meer Tage später an verschiedenen Küsten der Nordsee an.

Eine Woche nach dem Unglück begrub man die sechs Seeleute auf dem kleinen Friedhof der Insel. Lady Violet war beim Begräbnis dabei. Sie sprach im Namen ihres Bruders, des Gouverneurs, der in London war, an den offenen Gräbern.

»Ihr seid«, sagte sie in die Gräber hinein, »um meinetwillen ausgefahren. Ich war tollkühn und habe nicht bedacht, dass ich auch euch in Gefahr bringen würde. Gott lohne es euch allen! Euch Lebenden aber ...« Die Lady wandte sich an die Trauergemeinde. »... euch Lebenden sage ich, es war nicht Mut, sondern Wahnsinn auszufahren. Bei solchem Wetter und mit solchem Boot kehrt niemand zurück. Nur einer unter euch, der kleine Jan Janssen, hatte den Mut, diesem Wahnsinn entgegenzutreten. Er kannte die Boote. Er kannte die Ruderer. Er gab mir mehr Chancen als den sechs Rettern. Er war so vernünftig zu sagen, sechs Leben für eins, das sei zu teuer. Er hatte recht. Habt zukünftig nicht blinden, sondern vernünftigen Mut! Beten wir für die Seelen der Toten!«

Man betete. Aber das Erstaunen über die Rede der schönen Lady Violet blieb auf den Gesichtern und Jan Janssens Sohn Broder blickte zu Boden, bis die Trauerfeier zu Ende war.

Während mein Urgroßvater erzählt hatte, war es in der Speicherkammer dunkel geworden. Nun schaltete ich das Licht ein und

mein Urgroßvater und ich blinzelten uns in der plötzlichen Helligkeit an.

»Nun?«, fragte der Alte. »Wie denkst du über Jan Janssen, Boy?«

»Ich denke, Urgroßvater, dass die sechs Männer im Rettungsboot auf ihre Art auch Helden gewesen sind. Sie wussten selbst, wie gefährlich das Unternehmen war. Trotzdem sind sie ausgefahren, um ein Leben zu retten.«

»Vielleicht, Boy, wussten sie weniger gut als Jan Janssen, dass sie keine Chance hatten durchzukommen. Hätten sie es ganz genau gewusst, wären aber trotzdem ausgefahren, würde ich sie tollkühn und unvernünftig nennen. Tollkühnheit und Unvernunft aber machen keine Helden.«

Ich wollte etwas erwidern, als ich jemand die Stiege zum Speicher heraufkommen hörte. Auch mein Urgroßvater wandte lauschend den Kopf und sagte dann: »Schieb schnell die Tapetenrolle unter das Sofa, Boy! Und schließ leise die Tür auf. Und lass die Gardinen wieder herunter.«

Wie ich all seine Weisungen so schnell ausführen sollte, wusste ich nicht. Aber es gelang. Als die Obergroßmutter hereinkam, grinsten wir sie harmlos an. Die Gardinen hingen gefältelt vor dem Fenster, die Tapetenrolle war verschwunden.

Die Obergroßmutter brachte uns das Abendessen herauf, Wurstbrote, Käsebrote, Radieschen und Tee. »Dichtet nicht mehr so lange«, sagte sie und sah sich dabei suchend um.

»Habt ihr etwa kein Papier?«, fragte sie misstrauisch. »Dichtet ihr wieder auf Holz wie vor zwei Jahren?«

»Wir dichten in die Luft, Margaretha«, lächelte mein Urgroßvater. »Wir erzählen uns Geschichten. Wenn wir etwas zum Schreiben brauchen, wird sich schon eine Unterlage finden.«

Meine Obergroßmutter schien etwas Bissiges antworten zu wollen, als sie plötzlich entdeckte, dass ich auf dem Sofa in sämtlichen Kissen saß.

»Fünf Frauen haben diese Kissen gelüftet, geklopft, gebürstet und ordentlich hingelegt«, sagte sie. »Und was macht ihr in fünf Minuten daraus?«

»Ein Dichterlager«, lachte mein Urgroßvater. »Ist es nicht hübsch und bequem?«

»Ich habe eine andere Vorstellung von hübsch und bequem«, erwiderte die Obergroßmutter mit sehr spitzem Mund. Dann ließ sie uns wieder allein und verschwand mit einer Taschenlampe, ohne die man den Speicher bei Nacht nicht betreten konnte, denn der Mittelteil hatte kein Licht.

Beim Abendessen unterhielten wir zwei Männer uns weiter über Helden. Ich gab meinem Urgroßvater recht, dass der von Natur ängstliche Jan Janssen für einen Augenblick zum Helden geworden war, als er aus Vernunft die Verachtung einer ganzen Insel und obendrein die Verachtung des eigenen Sohnes auf sich genommen hatte, um ebendiesem Sohn das Leben zu erhalten.

»Etwas gegen die eigene Natur tun, kann Helden machen«, sagte mein Urgroßvater. »Das ist es zum Beispiel, was mich so für den griechischen Helden und Halbgott Herkules einnimmt. Der war

zwar ein grässlicher Muskelprotz und Aufschneider; aber fast alle seine Heldentaten tat er unwillig und nur aus Gehorsam gegen den Göttervater Zeus, der auch sein eigener Vater war.«

»Hat Zeus ihm Aufträge für Heldentaten erteilt, Urgroßvater?«

»Viel schlimmer, Boy, er hat ihm befohlen, seinem schwächlichen, feigen, furchtbar ängstlichen Stiefbruder Eurystheus zu dienen. Und dieser komische Knabe hat sich die gefährlichsten Aufträge für Herkules ausgedacht.«

»Und Herkules hat sie immer ausgeführt?«

»Immer, Boy, immer! Ich selbst habe die Taten des Herrn Herkules einmal in Versen beschrieben. Sie stehen in einem schwarzen Wachstuchheft, das auf dem Speicher gleich hinter der Tür links in der Truhe liegt. Hol es mir her. Aber vergiss die Taschenlampe nicht.«

Ich vergaß die Lampe nicht, fand das Buch und brachte es dem alten Boy, der gleich darin zu blättern begann. »Nimm hier zum

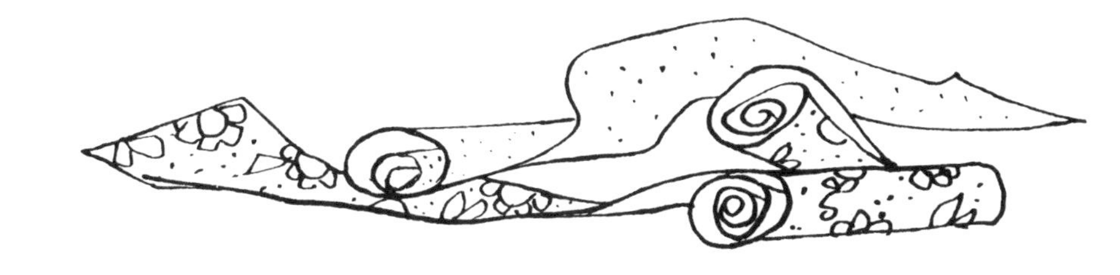

Beispiel das Abenteuer mit dem Höllenhund«, sagte er nach einem Weilchen. »Da musste Herkules in die Unterwelt hinabsteigen. Das ist für einen Halbgott, der oben im Licht wohnt, ein Abenteuer, das er nur höchst widerwillig unternimmt. Aber Eurystheus befahl Herkules, den Hund zu holen, und Herkules ging. Willst du das Abenteuer hören?«

»Natürlich, Urgroßvater!«

»Also dann!« Der Alte setzte seine Brille auf, hielt das Heft gegen die Lampe und las:

Die Ballade von Herkules in der Unterwelt

Herr Herkules, der große Held,
Man kennt ihn aus der Sage,
Der hat die angsterfüllte Welt
Befreit von mancher Plage.

Eurystheus, dem er dienen musst'
(An Hass ein Ungeheuer),
Trieb Herkules mit böser Lust
In böse Abenteuer.

Einst rief er: »Hol mir Kerberos!
Nach dem steht mein Verlangen.«
Da zog der Held wahrhaftig los,
Den Höllenhund zu fangen.

Doch diesmal fühlte selbst der Held,
Dass ihn ein wenig grause;
Denn drunten in der Unterwelt
War Kerberos zu Hause.

Er hauste, schrecklich anzusehn,
Am Hadesfluss im Dunkeln,
Wo Tote nur spazieren gehn
Und keine Lichter funkeln.

Doch mutig stieg hinab der Held
Von dem Gebirg Tainaron
Und traf dort in der Unterwelt
Den alten Fährmann Charon.

Der brachte ihn zum König hin,
Der hier das Zepter führte
Und mit der Totenkönigin
Das Totenreich regierte.

Es grüßte ihn das Königspaar,
Das viel von ihm vernommen
Und das auch unterrichtet war,
Warum er hergekommen.

»Geh, hole dir den Kerberos«,
Sprach man nach einer Weile.
»Doch kämpfe mit den Händen bloß
Und ohne deine Keule!«

Da ging der Held im Löwenfell
Drauflos, wenn auch mit Schrecken.
Es scholl des Untiers Wutgebell
Wie tausend erzne Becken.

Auch züngelte ein Schlangenmaul
An dieses Untiers Schwanze.
Das biss den Helden. Doch, nicht faul,
Ging der sogleich aufs Ganze.

Er zog den Hund am Schwanz und band,
Trotz Bissen und trotz Schrammen,
Das ganze Untier kurzerhand
Wie ein Paket zusammen.

Dann legte er den Höllenhund
Vorm Thron des Königs nieder.
Der König sprach: »Halt ihn gesund!
Und bring ihn, bitte, wieder!«

»Versteht sich!«, sprach der Held sogleich
Mit ehrerbietgem Gruße.
Dann trug er durch das Totenreich
Den Hund zum Hadesflusse.

Zurück ins Licht der Oberwelt
Fuhr Herkules mit Charon,
Und sicher kamen Hund und Held
In das Gebirg Tainaron.

Gewaltig war im ganzen Land
Der Ruf, der vor ihm herflog,
Als er vergnügt mit einer Hand
Den Hund hinter sich herzog.

Kam er an einem Dorf vorbei,
Floh jedermann voll Schrecken
Und nur die Kühnsten lugten scheu
Um ihre Häuserecken.

Eurystheus, der im Garten stand,
Sah durch des Tores Lücke
Das Untier an des Helden Hand
Und rief: »Bring ihn zurücke!

Bring ihn zurück zur Unterwelt,
Sonst könnte er mich beißen!«
Da lachte Herkules, der Held,
Und tat, wie ihm geheißen.

Was er auch tat: Er schaffte es!
Und also singt der Sänger:
Vor Zeiten war Herr Herkules
Der erste Hundefänger.

Das Wachstuchheft wurde zugeklappt und mein Urgroßvater sagte: »Natürlich, Boy, war dieser Hundefang ein sinnloses Unternehmen, veranstaltet von Eurystheus, der Herkules eins auswischen wollte. Ich weiß nicht, ob es heldenhaft ist, eine Aufgabe zu lösen, von der man weiß, dass sie Unsinn ist. Ich wollte dir nur zeigen, dass dieser lichte Halbgott gegen seine Natur ins Dunkel des Totenreiches hinabstieg.«

»Und etwas gegen seine Natur tun kann Helden machen«, ergänzte ich.

»Genau das wollte ich sagen, Boy«, lachte mein Urgroßvater. »Du kommst mir langsam auf die Schliche. Übrigens schiebst du die Unterlippe vor. Was kommt dir in den Kopf?«

»Ich überlege, Urgroßvater, ob es nicht lustig wäre, etwas über falsche Helden zu reimen. Je mehr man weiß, was nicht heldisch ist, umso genauer erkennt man nachher, was wirklich heldenhaft ist.«

»Klug überlegt, Boy!«

Der Alte schob mir seinen Teller, auf dem noch zwei Wurstbrote lagen, zu und fuhr fort: »Dichten wir Verse über scheinbare Helden, über Helden, die keine sind. Aber iss erst meine Brote auf, ich kenne deinen Hunger, und dann breite die Tapete auf dem Tisch aus.«

Ich verzehrte, was noch da war, stellte das Geschirr dann auf eine Kommode, breitete die Tapetenrolle mit der Rückseite nach oben auf dem Tisch aus und ließ mir vom Urgroßvater einen Zimmermannsbleistift geben. Nun war der Tisch eine schöne große Papierfläche. Wir beschlossen, in der Mitte des Papiers, sozusagen beiderseits der Mittellinie, mit dem Schreiben anzufangen, aber einen Stapel Seemannskalender als Trennungsmauer aufzustellen, damit wir uns beim Schreiben gegenseitig nicht störten.

»Über Helden«, erklärte mein Urgroßvater zuvor, »pflegt man Balladen zu verfassen. Bleiben wir dabei. Ich habe vor, eine Landsknechtballade zu dichten.«

»Dann dichte ich eine Ritterballade, Urgroßvater.«

Bald saßen wir mit vorgeschobenen Unterlippen da und bekritzelten die Tapete.

Als ich einmal nicht weiterwusste, füllte ich im Ofen Kohlen nach, starrte ein bisschen in die Flammen und schon floss es wieder.

Unsere Balladen waren fast zu gleicher Zeit fertig. Wir knobelten, wer beginnen sollte, und ich gewann und begann.

So las ich denn von der Tapete ab:

Die Ballade vom Ritter Grausegrün

In alten Zeiten lebte
Der Ritter Grausegrün.
Wer ihn nur sah, der bebte.
Er blickte gar zu kühn.

Wenn er bei dem Turniere
Mit andern Rittern stritt,
Dann kreischten die Scharniere
Und auch die Damen mit.

Sah wer den kühnen Streiter
Nur von der Seite an,
Der tat's nicht lang mehr weiter:
Er war ein toter Mann.

So grimmig war kein Ritter
Wie Ritter Grausegrün.
Noch durch des Helmes Gitter
Sah man die Augen glühn.

Sein Hirn war klein geraten,
Doch groß war seine Kraft.
Das Tun von kühnen Taten
War seine Leidenschaft.

Nun weiß man hier auf Erden,
Wie Leidenschaften sind:
Wenn sie erst älter werden,
Werden sie taub und blind.

Das ist besonders bitter
Für Leute ohne Hirn.
So war's auch bei dem Ritter
Mit seiner Eisenstirn.

Als er voll Wut und Schwung war,
Doch leider etwas alt,
Hat einer, der noch jung war,
Ihn kaltgemacht im Wald.

Zum Ritterhimmel schwebte
Die Seele, stolz und kühn.
Er starb so, wie er lebte,
Der Ritter Grausegrün.

»Bravo, Boy!«, rief mein Urgroßvater und klatschte sogar in die Hände. »Du hast herausgekriegt, was mit dieser Art von Rittern los war. Sie waren Fachleute im Umbringen und sie verstanden ihr Handwerk. Aber selbst hundert Leichen machen noch keinen Helden. Hör dir jetzt meine Verse an.«

Der Alte setzte seine Brille auf und las von der Tapetenrückseite:

Die Ballade vom Landsknecht in Flandern

War einst ein Landsknecht in Flandern,
Dem ging es sonderbar.
Er musste wandern und wandern,
Weil kein Krieg im Lande war.

Ein Landsknecht muss streiten und siegen,
Denn dafür kriegt er Geld.
Er wird zum Kämpfen und Kriegen
Bezahlt und angestellt.

Doch ist nirgends ein Krieg zu sehen,
Was tut ein Landsknecht am End?
Dann muss er ihn suchen gehen
Wohl zwischen Brügge und Gent.

Drum musste der Landsknecht in Flandern,
So arbeitslos und allein,
Alle Tage wandern und wandern
Ins flandrische Land hinein.

Mit durchgelaufenen Schuhen
Wehklagte er: »Lieber Gott,
Dein Frieden füllt Schränke und Truhen,
Doch den Landsknecht macht er bankrott!«

Der Herbst kam mit schaurigem Wetter,
Der Winter mit Schnee und mit Eis.
Es gilbten sein Bart und die Blätter,
Und er wurde vorzeitig ein Greis.

Als dann wieder Krieg war in Flandern
Und man suchte ein neues Heer,
Da konnte er kaum noch wandern
Und kämpfen gar nicht mehr.

Er bekam keinen Sold und kein Essen,
Denn er war zum Kampfe zu alt.
So ist verschollen, vergessen
Ein flandrischer Landsknecht im Wald.

Mein Urgroßvater nahm die Brille ab und ich sagte: »Armer Landsknecht!«

»Dummer Landsknecht!«, sagte mein Urgroßvater. »Töricht der Mann, der im Frieden auf Krieg hofft, weil er ein Landsknecht bleiben will. Sehnsucht nach Kämpfen macht noch keine Helden.«

Unter dem Vorlesen hatten wir überhört, dass jemand auf den Speicher gekommen war. Nun stand plötzlich Onkel Harry im Zimmer und starrte verdutzt auf den tapetenbedeckten Tisch.

»Was macht ihr denn da?«, fragte er.

»Wir dichten«, sagte ich wahrheitsgemäß.

»Ist das eigentlich schwer, Boy? Ich meine, geht das schnell oder braucht man viel Zeit?«

»Kommt auf die Stimmung an, Harry«, erklärte ihm mein Urgroßvater. »Wir sind augenblicklich in Stimmung. Wir haben gut, aber nicht zu viel gegessen, das Zimmer ist warm, draußen friert's, die Pfeife schmeckt. Da kann man dichten. Sollen wir's dir mal vormachen?«

»Nein, nein«, wehrte Onkel Harry fast erschrocken ab. »Ich soll ja nur das Geschirr holen und sagen, dass ihr nicht so spät ins Bett gehen sollt. Außerdem muss ich früh raus. Morgen geht's mit dem Kutter wieder nach Hamburg.«

»Trotzdem hätte ich Lust, dir mal was vorzudichten, Harry. Setz dich aufs Sofa. Es sind ja Kissen genug da. Setz dich, setz dich!«

Der wiederholten Aufforderung gab Onkel Harry schließlich nach. Er plumpste in den Kissenberg.

»So«, bestimmte mein Urgroßvater. »Jetzt werden Boy und ich zwei kleine Gedichte verfassen. Für einen Seemann müssen wir natürlich etwas dichten, was mit dem Meer zu tun hat.«

»Aber auch mit richtigen oder falschen Helden«, warf ich ein. »Das ist doch unser Thema.«

»Balladen sind zu lang für Onkel Harry«, erklärte mein Urgroßvater. »Beschränken wir uns vielleicht auf das Thema Dummheit und Klugheit. Manchmal zum Beispiel sind sogenannte Heldentaten einfach Dummheit. Ein Fisch, der einer Möwe vor den Schnabel schwimmt, ist ebenso dumm wie eine Katze, die ins Wasser springt.«

»Da haben wir ja schon zwei Gedichte!«, rief ich erfreut. »Ein Möwengedicht und ein Katzengedicht. Das Katzengedicht schreibe ich.«

Mein Urgroßvater lachte und sagte: »Einen flinken Verstand hat der Kleine, was, Harry?«

Onkel Harry nickte stumm und etwas ratlos, während wir Dichter bereits die Zimmermannsbleistifte gezückt hatten und über unseren Versen brüteten.

Durch Onkel Harry, der auf dem Sofa ein bisschen unruhig war, fühlten wir uns anfangs nicht ganz behaglich. Aber als die ersten Zeilen geschrieben waren, liefen die Verse bald weiter, und als der unruhige Onkel uns endlich mahnte, dass die Obergroßmutter auf das Geschirr warte, da hatte der Urgroßvater sein Gedicht schon beendet und ich kurz darauf auch das meine.

Wir lasen sie sogleich Onkel Harry vor. Der Urgroßvater begann. Er rückte wie üblich an seiner Brille und las:

Das Möwenlied

Sehen Kinder Möwen segeln,
Winken sie den weißen Vögeln.
Doch die Fische, lieber Schreck,
Schwimmen vor den Möwen weg.

Ja, man kann aus vielen Gründen
Möwen gut und böse finden.
Möwen beißen Kinder nie.
Doch die Fische fressen sie.

Kinder sehen Möwen heiter.
Doch Makrelen und so weiter
Fliehn vor Möwen jederzeit.
Und mir scheint, das ist gescheit.

Onkel Harry, der mit leicht geöffnetem Mund zugehört hatte, sagte: »Ich finde die Makrelen auch gescheit. Ein sehr schönes Gedicht. Es hat auch so viel Sinn.«

»Danke für die Blumen, Harry!«, lachte mein Urgroßvater. »Mal hören, was der kleine Boy gereimt hat.«

Jetzt las ich mein Gedicht vor:

Das Lied von Kater und Sardelle

Zu einem Kater sagte die Sardelle,
Als dieser Kater auf der Mole stand:
»Ich jage gern einmal an deiner Stelle
Die kleinen Mäuse oben auf dem Land.

Komm du ins Wasser, Kater, lass uns tauschen.
Dann fange ich die flinken Mäuse ein,
Und du kannst hier mit den Sardellen plauschen
Und kannst im Schwarme schwimmend glücklich sein.«

Der Kater maß den Fisch mit seinen Blicken
Und gab als Antwort nichts als nur: »Miau!«
Er kehrte stumm dem kleinen Fisch den Rücken
Und ging davon. Mir scheint, das Tier war schlau.

Onkel Harry stand auf, schüttelte den Kopf und sagte: »Lauter kluge Sachen! Kaum zu glauben! Und das alles in der Schnelligkeit. Jetzt muss ich aber wirklich mit dem Geschirr nach unten. Gute Nacht zusammen!«

Er packte das Geschirr aufs Tablett und verließ, eine Taschenlampe in der Hand, unsere Speicherkammer. In der Tür flüsterte er noch: »Über die Tapete sag ich nichts, Boys!«

Draußen war es inzwischen pechfinster geworden. Durch das Fenster sah man nur im Licht der Straßenlaterne ein paar Dachziegel.

»Ich glaube, wir sollten dem Rat der Obergroßmutter folgen und schlafen gehen, Boy«, sagte mein Urgroßvater. »Wir haben am ersten Tag unserer Heldenkunde schon ein beträchtliches Pensum geschafft. Wir wissen, dass Tollkühnheit kein Heldentum ist und dass hundert Leichen auch noch keinen Helden machen. Wir wissen aber, dass es manchmal heldenhaft sein kann, etwas gegen seine Natur zu tun. Mal sehen, was wir morgen herausbringen. Jetzt gehen wir zu Bett.«

Zwar hatte ich dazu noch keine Lust; aber ich merkte dem alten Manne an, dass die Dichterei ihn angestrengt hatte. So rief ich Onkel Jasper, damit er dem Urgroßvater in den ersten Stock hinunterhülfe, und wenig später lag ich im Bett und las in den Seemannskalendern Balladen, um mich im Balladenton zu üben. Als Onkel Harry, mit dem ich das Zimmer teilte, eingeschlafen war, dichtete ich sogar eine Ballade, die ich in ganz kleiner Schrift auf die leere weiße Rückseite eines Kalenders kritzelte. Danach schlief ich befriedigt ein.

Der Dienstag, an dem ausnahmsweise das Südzimmer des Speichers benutzt wird. Handelt von Salonhelden, der Zivilcourage und der List, erzählt eine Geschichte aus gutem Grund zweimal, zeigt, dass es wichtig ist, einer Gefahr ins Auge zu sehen, stellt den ersten richtigen Helden vor, belauscht zwei Großmütter, die eine Ballade schmettern, und endet ein bisschen traurig.

Der Dienstag

Am nächsten Tage war es kalt. Eisblumen schmückten das Fenster. Ich wusch mich im kalten Schlafzimmer, indem ich mit angefeuchteten Fingern vorsichtig mein Gesicht betupfte. Die Seeleute, die heute nach Hamburg fahren mussten, hatten das Haus schon verlassen, als ich aufstand. Wahrscheinlich hatte die Obergroßmutter ihnen wieder so viel Proviant mitgegeben, dass er notfalls für eine Reise nach Südafrika ausgereicht hätte. Sie behauptete immer wieder, wer gesund bleiben wolle, müsse gut und viel essen. (Dabei aß sie selbst sehr wenig.) Auch das Frühstück, das sie uns beiden Boys an diesem Morgen hinstellte, war so reichlich, dass wir die Hälfte stehen lassen mussten. (Dabei konnte ich damals, mit zwölf Jahren, mühelos sechs bis acht gebratene Schollen zu Mittag verzehren. Samt einem Berg Kartoffelsalat.)

Ausgeruht und wohlgenährt begaben wir zwei invaliden Dichter uns wieder hinauf auf den Speicher. Heute hatte die sparsame Obergroßmutter nur die Urgroßvaterkammer geheizt, von der aus man das Meer sehen konnte. Hier gab es eine Ottomane (einen verlängerten Stuhl oder ein verkürztes Sofa), auf der man halb saß, halb lag. Dieses Möbel war mir meines kranken Fußes wegen sehr willkommen. Ich belegte es sogleich mit Beschlag. Mein Urgroßvater ließ sich an der anderen Tischseite im Rollstuhl nieder. Das Zimmer war gemütlich warm. Man kam sozusagen von selbst in Balladenstimmung.

Den Seemannskalender, auf dessen Rückseite mein Gedicht stand, hatte ich mit der Titelseite nach oben auf den Tisch gelegt. Nun drehte ich das Buch um und sagte zum Urgroßvater: »Schau mal, das habe ich in der Nacht geschrieben.«

Der Urgroßvater, der sich gerade die Pfeife anzündete, sagte aus einem Mundwinkel: »Wenn du glaubst, dass du gestern der einzige Nachtarbeiter gewesen bist, Boy, dann irrst du dich. Warte einen Moment!«

Der Alte holte, nachdem er die Pfeife in aller Ruhe angezündet hatte, aus seiner Hosentasche eine spitze Tüte, die auf beiden Seiten beschrieben war, hervor und sagte: »Das ist das Ergebnis meiner Nachtarbeit, Boy. Dichter scheinen Nachtlichter zu sein. Ich bin gespannt, ob unsere Reime bei Tage bestehen können. Wie wär's, wenn du mit dem Vorlesen beginnst?«

Ich sagte: »Einverstanden.« Dann las ich von der Rückseite des Seemannskalenders:

Die Ballade von Henry und den achtzehn Tanten

Henry hatte achtzehn Tanten,
Achtzehn Tanten hatte er.
Und mit so viel Anverwandten
Hat's ein Neffe leider schwer.
Henry!, hieß es immerfort,
Henry hier und Henry dort.

Ging der Henry in die Schule,
Hielten achtzehn Tanten Schritt.
Spielte Henry mit der Jule,
Spielten achtzehn Tanten mit.
Tat sich Henry einmal weh,
Hieß es achtzehnmal: Oje!

Henry konnte alles haben,
Denn die Tanten waren reich.
Doch bald waren ihm die Gaben

Seiner Tanten ziemlich gleich.
Achtzehn Schaukelpferde sind
Eher lästig für ein Kind.

Als der Henry achtzehn Jahre
Zählte, floh er von zu Haus.
Ach, da rauften sich die Haare
Alle achtzehn Tanten aus.
Durch ihr Weinen, achtzehnfach,
Gab es einen Tränenbach.

»Warum hat er uns verlassen?«,
Hieß es schluchzend achtzehnmal,
»Noch dazu bei diesem nassen
Wetter ohne Hut und Schal?
Sicher kommt er bald zurück
Mit der Grippe im Genick.«

Aber Henry kam nicht wieder.
Grippekrank und ohne Geld
Sang er auf der Straße Lieder
Und kam mühsam durch die Welt.
Trotzdem rief er: »Wie famos!
Endlich bin, endlich bin ich
Alle achtzehn Tanten los!«

Kaum hatte ich das Gedicht beendet, als sich draußen vor der Tür der Kammer unüberhörbar jemand räusperte. Gleich darauf trat die Obergroßmutter ein und sagte: »Ich wollte beim Vorlesen nicht stören. Deshalb habe ich mir das freche Gedicht von draußen angehört. Wenn das vielleicht eine Anspielung sein soll und ihr glaubt, ihr könnt euch über all meine Mühe lustig machen, über das Waschen und Flicken und Putzen und Kochen und Bettenmachen und ...«

Mein Urgroßvater unterbrach sie vorwurfsvoll. »Aber Margaretha«, sagte er, »man kann deine Fürsorge für uns doch nicht mit der Affenliebe dieser achtzehn Tanten vergleichen! Die Tanten waren ein Klotz an Henrys Bein. Du aber sorgst dafür, dass wir sozusagen Flügel bekommen. Um dichten zu können.«

»Ihr und Flügel!«, brummte die Obergroßmutter. »Dass ich nicht lache!«

Während sie Kohlen in den Ofen schüttete, fragte sie über die Schulter: »Was hat das Gedicht eigentlich für einen Sinn?«

»Wir sprechen über Helden, Margaretha.«

»So? Über Helden? Und ihr haltet diesen windigen Henry wohl für einen Helden?«

»Der Entschluss des verwöhnten Henry, alle Sicherheit und al-

len Reichtum zu verlassen für ein Leben, das zunächst nur Hunger und Armut versprach, dieser Entschluss, Margaretha, hat etwas Heldenhaftes an sich. Brücken hinter sich abbrechen und Neuland betreten kann Helden machen.«

»Ich habe eine andere Vorstellung davon, was ein Held ist«, sagte die Obergroßmutter und knallte die Ofenklappe zu. »Familie ist Familie! Davor läuft man nicht weg!«

»Jesus hat seine Familie doch auch verlassen, Obergroßmutter«, sagte ich.

»Jesus Christus!« Meine Obergroßmutter hob die Arme wie ein Priester, der den Segen erteilt. »Wollt ihr zwei Hinkebeine euch vielleicht mit Jesus Christus vergleichen? Geht lieber öfter in die Kirche, damit ihr Bescheidenheit lernt!« Mit diesem Ratschlag verließ sie uns.

Mein Urgroßvater seufzte und sagte: »Die Weiber bleiben immer auf dem Teppich, wenn unsereins zu den Wolken fliegen möchte. Aber es ist doch gut, dass es sie gibt.«

»Vor allem wegen der gebratenen Schollen«, sagte ich; denn die aß ich besonders gern und die briet meine Obergroßmutter besonders gut. »Aber jetzt lies du dein Nachtgedicht vor, Urgroßvater.«

»Später, später!«, wehrte der Alte ab. »Mir geht da eine Geschichte im Kopf herum, die mir bei der Ballade von Henry in den Sinn gekommen ist. Ich habe sie von einem Kapitän und ich glaube, sie passt zu unserem Thema. Das heißt, sie passt bestimmt zu unserem Thema. Nur ist der Held der Geschichte kein Held.«

»Wie bitte?«

»Ich sagte, Boy, der Held, der in der Geschichte vorkommt, ist nicht der Held der Geschichte.«

»Das verstehe ich immer noch nicht, Urgroßvater.«

»Dann erkläre ich es dir später und erzähle zuerst.« Mein Urgroßvater nahm noch einen Mundvoll aus der Pfeife und begann, während er den Rauch ausblies:

Die Geschichte vom Bären und den Pinguinen

Der Eisbär Balduin, der gemeinsam mit seinem Vetter Robert den heimischen Nordpol verlassen hatte und am Südpol ansässig geworden war, saß neben der Robbe Ricarda auf einer Eisscholle und brummte: »Am Südpol finden so selten Feste statt. Gut, dass die Pinguine eine Party starten.«

»Es ist Frackzwang!«, bellte die Robbe. »Hast du einen Frack?«

»Nö!«, sagte der Eisbär.

»Dann bist du auch nicht geladen.«

Balduin begab sich sogleich zu seinem Vetter Robert, der als Eisbärdamenfriseur Erfahrung in gesellschaftlichen Dingen hatte.

»Kannst du mir«, fragte er Robert, »einen Frack besorgen? Bei der Pinguinparty herrscht Frackzwang.«

»Noin, moin Vetter«, erwiderte Robert, der sich eine feine Aussprache zugelegt hatte. »Für Bären gübt es keine Fräcke.«

Also stapfte Balduin zur Seekuh, einer weltgewandten Dame in Südpolkreisen. »Kannst du mir sagen, wo ich einen Frack herkriege?«, fragte er. »Bei der Pinguinparty herrscht Frackzwang.«

»Aber Baldilein«, lächelte die weltgewandte Seekuh und tätschelte Balduin mit einer Flosse, »kannst du dir einen Eisbären im Frack vorstellen?«

»Wenn ich will, kann ich es«, knurrte der Eisbär. »Denn ich will

unbedingt zur Pinguinparty. Am Südpol finden so selten Feste statt.«

»Dann kann ich dir nur einen Rat geben, lieber Freund: Frage Ludwig, den Lachs, der augenblicklich in unserer Gegend ist. Er ist eine weit gereiste Persönlichkeit von beträchtlicher Klugheit.«

Nun suchte Balduin, der Eisbär, den Lachs Ludwig. Er streckte von allen möglichen Eisschollen aus den Kopf unter das Wasser, um den Lachs zu suchen. Aber er fand ihn nicht.

Erst am nächsten Tag erfuhr er im Eisbärdamenfrisiersalon seines Vetters Robert, wo sich der Lachs aufhielt. (In Damenfrisiersalons erfährt man nahezu alles.)

Die Unterhaltung Balduins mit Lachs Ludwig war etwas schwierig, weil der Lachs den Dialekt des Südpols schwer verstand. Dennoch konnte er dem Eisbären einen Rat geben.

»Ein großer Tintenfisch macht Ferien am Südpol«, sagte er zu Balduin. »Er hält ansehnliche Mengen Tinte bereit, mit der er dein Fell frackartig einfärben könnte.«

»Eine gloriose Idee!«, brummte der Eisbär. »Wo finde ich den Tintenfisch?«

»Meistens südlich der Robbeninsel in einer kleinen untermeerischen Felshöhle, die man die Stille Klause nennt.«

Balduin ließ sich ins Wasser plumpsen, schwamm zur Robbeninsel, tauchte, fand die Klause unter dem Meer und bat den Tintenfisch, der darin saß, zu einer wichtigen Unterhaltung hinauf an die Wasseroberfläche.

Der Tintenfisch, der sehr neugierig war, kam wenig später tatsächlich nach oben und streckte den Kopf neben der Eisscholle, auf der Balduin hockte, aus dem Wasser.

»Was gibt es, Bär, was so ungeheuer wichtig für dich ist?«

»Es gibt eine Pinguinparty«, erklärte Balduin. »Aber es herrscht Frackzwang, und ich habe keinen Frack. Dabei wäre ich so gerne dabei. Am Südpol finden so selten Feste statt.«

»Ich bin kein Frackverleiher«, nuschelte der Tintenfisch. (Die Tintenfische nuscheln alle.)

»Aber du könntest mit deiner Tinte mein Fell frackartig einfärben, Tintenfisch. Wie wäre das?«

»Schwierig, aber, wenn ich's mir recht überlege, sehr spaßig, Eisbär. Leg dich lang auf die Eisscholle. Ich färbe erst die eine Seite ein, dann den Rücken, dann die zweite Seite.«

Mit sehr viel Geduld, Mühe und Tinte wurde Balduins Eisbärfell so geschwärzt, dass es am Ende wirklich so aussah, als trüge er einen Frack.

»Tausend Dank, Tintenfisch«, sagte er. »Jetzt kann ich endlich wieder einmal ein Fest besuchen!«

»Aber spring nicht ins Wasser«, riet ihm der Tintenfisch nuschelnd. »Die Tinte ist nicht wasserfest.«

»Ich will dran denken«, nickte der Bär. Dann sprang er vorsichtig von Eisscholle zu Eisscholle bis zu seinem Vetter Robert, der ihm erklären musste, wie man sich auf Pinguinpartys benimmt.

Am Abend dieses Tages fand das Fest statt. Die Pinguine hatten Frackzwang angeordnet, weil sie am liebsten allein unter sich sind. Sie halten Bären und Robben für ordinäre Zeitgenossen.

Die Damen und Herren Pinguine, die in Grüppchen beieinanderstanden und plauderten oder manchmal aus sinnvoll verteilten Eisschälchen Fischsalat nippten, waren einigermaßen konsterniert, als ein Eisbär in tadellos sitzendem Frack zu ihrer Party erschien.

Abweisen konnten sie ihn nicht; denn er trug den vorgeschriebenen Anzug. Begrüßen mochten sie ihn nicht; denn auch im Frack bleibt ein Eisbär ein Eisbär. Also mieden sie ihn.

Wenn Balduin sich einer Gruppe näherte und, genau nach Roberts Anweisung, sagte: »Guten Abend, die Damen, guten Abend, meine Herren!«, dann löste sich die Gruppe plötzlich auf und die einzelnen Pinguine schlossen sich anderen Grüppchen an.

Am Ende stand Balduin gewaltig und allein inmitten der Party,

deren Teilnehmer jetzt besonders heftig, nahezu wütend, aufeinander einredeten.

Nun wurde Balduin, der sich so sehr auf dieses Fest gefreut hatte, wütend. »Hat man in Pinguinkreisen keine Lebensart?«, fuhr er den nächstbesten Pinguin an. »Antwortet ihr auf eine höfliche Begrüßung nicht?«

»Ich hatte noch nicht die Ehre, von Ihnen begrüßt zu werden«, sagte der Pinguin. »Aber ich mache gern den Anfang. Guten Abend!«

»Guten Abend!«, antwortete Balduin verdutzt.

Der Pinguin nickte ihm freundlich zu und gesellte sich wieder einer plaudernden Gruppe zu.

Balduin gab es auf, bei dieser Party Anschluss zu finden. Er sprang vom Rand der Pinguininsel aus ins Wasser, das sich augenblicklich schwarz färbte, und schwamm fracklos und allein, aber wieder bärig, zu seiner alten Schlafstelle.

Als die Seekuh ihn am nächsten Morgen fragte, wie es auf der Pinguinparty gewesen wäre, brummte er: »Ein Eisbär ist kein Pinguin.«

»Dachte ich mir«, lächelte die Seekuh. »Ein Eisbär bleibt ein Eisbär auch im Frack.« Dann schwamm sie zu Robert, dem Eisbärdamenfriseur, um über Balduins Partybesuch ausführlich reden zu können.

Der Eisbär aber fing wie üblich Fische.

Mein Urgroßvater zündete die Pfeife wieder an, die ihm unter dem Erzählen ausgegangen war. Dann fragte er: »Verstehst du jetzt, Boy, warum der Held der Geschichte kein Held war?«

»Der Held der Geschichte ist der Bär, Urgroßvater. Und der ist nicht gerade ein Held gewesen auf dieser Party.«

»So ist es. Der Bär war nicht der Held. Wer der Held war, wirst du erfahren, wenn ich dir die Geschichte noch einmal erzähle.«

»Dieselbe Geschichte noch einmal, Urgroßvater?«

»Jawohl, Boy, aber andersherum. Hör zu!«

Er tat den üblichen Pfeifenzug und erzählte:

Die Geschichte vom Pinguin und dem Bären

Der Pinguin Pedro stand – wie immer im tadellosen Frack – neben der Pinguinin Esmeralda und bemerkte beiläufig: »Partys scheinen am Südpol selten geworden zu sein. Das gesellschaftliche Leben ist nicht mehr, was es früher einmal war.«

»Wem sagen Sie das?«, säuselte Esmeralda. »Aber ich kenne den Grund, Don Pedro. Ich weiß, woran es liegt.«

»Darf man fragen, woran, Donja Esmeralda?«

(Pinguine lieben die spanische Hofetikette; deshalb haben sie spanische Namen und Titel.)

Esmeralda antwortete: »Wenn wir Pinguine Partys gaben, dann durfte, weil wir höflich sind, jedermann erscheinen. Es konnte mithin nicht ausbleiben, lieber Don Pedro, dass Seehunde, See-Elefanten, Möwen und selbst Eisbären erschienen, also, mit einem Wort, Gesindel. So arteten die Partys gewöhnlich aus und die Kolonie hat es allmählich aufgegeben Feste zu veranstalten.« (Mit Kolonie meinte Donja Esmeralda die Eisinsel der Pinguine, die sie für den Nabel der Welt hielt.)

»Man kann doch eine Party unter sich feiern«, entrüstete sich Don Pedro.

»Das wäre höchst unhöflich, lieber Don.«

»Dann bleibt man eben auf höfliche Weise unter sich, indem man Frackzwang vorschreibt, liebe Donja. Niemand außer uns Pinguinen trägt einen Frack.«

Esmeralda blickte Pedro mit bewundernd geöffnetem Schnabel an und hauchte dann: »Eine geniale Lösung! Frackzwang bei der Pinguinparty! Eine wahrhaft geniale Lösung, lieber Don Pedro! Das muss ich den anderen Damen und Herren sogleich zu Gehör bringen.«

Sie flatterwatschelte (oder watschelflatterte) zu den ihr befreundeten Damen der Kolonie und rief: »Wir geben eine Party mit Frackzwang! Wie finden Sie das?«

Dann eilte sie zu den ihr bekannten Herren der Kolonie und erklärte mit bedeutungsvollem Augenzwinkern: »Bei unserer nächsten Party wird der Frack zur Pflicht. Ist die Idee nicht genial?«

Die ganze Kolonie war im Handumdrehen unterrichtet und entzückt über Don Pedros Einfall. Er wurde rasch in die Tat umgesetzt. Man lud, weil Pinguine höflich sind, sämtliche Bewohner des Südpols zu der Party ein, fügte aber hinzu, der Frack sei Pflicht. So

hatte man der Höflichkeit Genüge getan und trotzdem alle Tiere – außer den Pinguinen – ausgeschlossen.

Das Fest, wohl vorbereitet und vorzüglich ausgestattet mit allem Notwendigen, war gleich am Anfang ein Erfolg. Don Pedro, der den glücklichen Einfall gehabt hatte, wurde wie ein Held gefeiert.

Aber mitten in der Party erschien zu aller Entsetzen der grobschlächtige Eisbär Balduin in der Kolonie.

Und er trug, wie vorgeschrieben, einen Frack.

»Das ist die Höhe!«, riefen die Damen.

Die Herren zischten aus einem Schnabelwinkel: »Unerhört!«

Nur Don Pedro blieb wieder einmal Herr der Lage. »Grüppchen bilden, heftig miteinander reden und den Eisbären nicht beachten!«, ordnete er an. »Weitersagen!«

Seine Anordnung wurde befolgt: Wo immer der Bär sich auch hinwandte auf der Party, überall bildeten sich sofort Pinguingrüppchen, die aufgeregt miteinander schnatterten, ohne ihn zu beachten. Dass vielen der befrackten Gäste dabei das Herz bis unter den Schnabel schlug, weil sie Angst vor Balduin hatten, ahnte der Bär nicht.

Nahezu alle Pinguine aber bekamen es mit der Angst zu tun,

als Balduin mitten in das Geschnatter hineinbrüllte: »Hat man in Pinguinkreisen keine Lebensart?«

Stumm vor Furcht, beobachtete man aus den Augenwinkeln, wie das riesige Untier genau auf Don Pedro zusteuerte, und mit nicht weniger Furcht hörte man ihn raukehlig fragen: »Behandelt ihr eure Gäste nach Laune? Antwortet ihr auf eine höfliche Begrüßung nur, wenn es euch passt?«

Die Pinguine hielten den Atem an. Allen klopfte das Herz. Nur Don Pedro blieb scheinbar gelassen. Er antwortete keck: »Ich hatte noch nicht die Ehre, von Ihnen begrüßt zu werden. Aber ich mache gern den Anfang. Guten Abend!«

Als der Bär, höchst verdutzt und beinahe kleinlaut »Guten Abend« antwortete, lächelte Don Pedro höflich, wandte sich sofort wieder einer plaudernden Gruppe zu und raunte: »Weiterreden! Weitersagen!«

Plötzlich, ermuntert durch Don Pedros sicheres Auftreten, hatten die Pinguine Oberwasser auf der Pinguinparty. Sie merkten, dass der Bär abgeblitzt war, schwatzten miteinander, was das Zeug hielt, lachten möglichst viel und laut und wunderten sich nicht einmal, als Balduin mit Zornesfalten auf der Bärenstirn das Fest verließ.

»Dem hat Don Pedro es gegeben!«, riefen bewundernd die Damen.

Die Herren redeten Don Pedro seit diesem Tage mit »Kabaljero« an, was in Pinguinkreisen die höchste Auszeichnung ist.

Der gefeierte Pinguin aber winkte mit dem linken Flossenflügel lässig Lob und Dank ab. »Man muss den Pöbel zu behandeln wissen«, bemerkte er feinsinnig. »Wenn man auch in den schwierigsten Situationen ein Herr bleibt, dann kuscht er!«

Die Pfeife meines Urgroßvater brannte noch, als die Geschichte zu Ende war. »Weißt du jetzt«, fragte er mich, »wer auf der Pinguinparty ein Held war?«

»Dieser Don Pedro, Urgroßvater. Jetzt, da du die Geschichte aus der Sicht der Pinguine erzählt hast, sehe ich das ein. Aber gefallen tut mir diese Art von Heldentum nicht besonders.«

»Mir auch nicht, Boy. Es handelt sich, kurz gesagt, um einen Salonhelden. Er teilt die Welt in Klassen ein, in Leute mit Frack und in Pöbel. Dann verblüfft er den sogenannten Pöbel durch sogenannte feine Lebensart, und die sogenannten feinen Leute feiern ihn als Helden. Aber Hochmut und Vorurteile machen keine Helden. Ich behaupte im Gegenteil: Sich mannhaft gegen Vorurteile stemmen wie Jan Janssen, das macht Helden. Und nun schütte Kohlen in den Ofen, Boy!«

Ich rutschte von der Ottomane hinunter, hinkte zum Ofen und schüttete Kohlen nach. Dabei überlegte ich, dass der alte Boy mit der zweifachen Erzählung der gleichen Geschichte, die zweimal spannend und lustig gewesen war, ein kleines Kunststück vollbracht hatte. Das spornte mich an, etwas Ähnliches zu tun. Deshalb zog ich das Kohle-Nachschütten in die Länge und reimte dabei im Kopf die Moral der Geschichte. Danach trug ich sie meinem Urgroßvater vor. Ich sagte:

»Wer sich und seinesgleichen immer
Für was Besondres auf der Welt
Und andre Leute, andre Zimmer
Für dumm und für geschmacklos hält,
Ist selber nur ein dummer Wicht.
Er hat Scheuklappen im Gesicht!«

»Bravo, Boy!«, lachte mein Urgroßvater. »Du wirst umso klüger, je älter du wirst. Das ist selten, aber erfreulich.«

Ich antwortete: »Danke für die Blumen! Liest du mir jetzt deine Ballade vor, Urgroßvater?«

Zögernd sagte der Alte: »Ballade ist eine etwas übertriebene Bezeichnung. Nennen wir das Ding ein Ballädchen.«

Er zog die beschriebene Tüte aus der Tasche und las, als ich wieder auf der Ottomane lag:

Mauseballädchen

Mäuse, Mäuse, kleine Mäuse,
In der Ecke tickt die Uhr.
Wehe, vor dem Mausgehäuse
Hockt der Kater Murrdibur!

Mäuse, Mäuse, kleine Mäuse,
Immer sind die Katzen da!
Wehe, aus dem Mausgehäuse
Schlüpft die Maus Cä-ci-li-a.

Mäuse, Mäuse, kleine Mäuse,
Murrdibur fing, blind und barsch,
Eine Mäusin vorm Gehäuse.
Piept den Mause-Trauermarsch!

Mäuse, Mäuse: Mausebraten
Seid ihr, wenn die Katz euch frisst!
Stempelt nicht zu Heldentaten,
Was nur dumm und töricht ist!

Mein Urgroßvater steckte die Tüte, von der er das Gedicht abgelesen hatte, wieder ein, und ich sagte: »Ein hübsches Balladchen, Urgroßvater! Es zeigt aber nur, was nicht zu einem Helden gehört.«

»Eben dadurch, Boy, lässt sich herausfinden, was zu einem richtigen Helden gehört. Es gehört zum Beispiel zu einem Helden, dass er die Gefahr einigermaßen abschätzen kann, in die er sich begibt. Sich blindlings in Gefahren stürzen, wie diese Maus Cäcilia, macht noch keinen Helden. Übrigens fällt mir dabei die Geschichte vom König und vom Floh ein. Ich möchte sie gerne …«

Mein Urgroßvater wurde von der Obergroßmutter unterbrochen. Wir hörten sie aus dem ersten Stock rufen: »Ihr bekommt Besuch! Und in einer halben Stunde wird gegessen.«

»Also erzähle ich dir die Geschichte heute Nachmittag, Boy«, seufzte mein Urgroßvater. »Und nun bin ich gespannt, wer uns besuchen kommt.«

Da klopfte es schon und herein trat, ein wenig außer Atem von der steilen Stiege, die winterlich vermummte Untergroßmutter mit Pelzmütze, Pelzkragen, Pelzmuff und Schuhen mit Pelzsaum.

»Tag, Boys, hier ist es aber warm«, schnaufte sie. Dann legte sie all ihren Pelzkram (außer den Schuhen) auf die Kommode, sank in einen Sessel und sagte: »Ich war gerade auf dem Oberland, weil Pay Pflaume so billige Wollsocken hat, und da dachte ich: Schau mal zu den kranken Dichtern hinein.«

»Wir wissen die Ehre deines Besuches zu schätzen, Anna!«, erklärte mit einer leichten Verbeugung mein Urgroßvater und ich fügte hinzu: »Wir begrüßen unsere alte Muse!«

»Kinder, ihr nehmt mich nicht ernst!« Die Untergroßmutter sprach wieder einmal in dem Schmollton, den wir beide so gern hatten. »Mit mir macht ihr immer nur euren Spaß. Aber der Obergroßmutter lest ihr Gedichte vor.«

»Irrtum, Anna! Wir haben ihr das Gedicht von Henry und den achtzehn Tanten nicht vorgelesen. Sie hat hinter der Tür gelauscht.«

»Sie hat gelauscht, sagt ihr? Wie unfein!« Die Untergroßmutter tat ganz entsetzt. Dabei wussten wir genau, dass sie selbst nur allzu gern hinter Türen lauschte.

Sie sah sich jetzt suchend um, wahrscheinlich nach irgendwelchem Papier, und fragte: »Wo ist denn das Gedicht? Lest ihr es mir vor?«

Ich wollte sagen: »Natürlich! Gern!« Aber da fiel mir ein, dass das Gedicht ja auf der Rückseite des Seemannskalenders stand, was wir ihr unmöglich zeigen konnten. Sie hätte sofort die Obergroßmutter alarmiert.

Mein Urgroßvater schien dasselbe wie ich zu überlegen. Er sagte schnell: »Das Gedicht von Henry passt zur Obergroßmutter, aber nicht zu dir, Anna. Du bist im Ganzen zarter.« (Dabei wog die Untergroßmutter mindestens zwei Zentner.) »Dir muss man Gedichte aufsagen, die niedlicher sind, zum Beispiel das Gedicht von der Maus, die der Katze die Meinung sagt.«

»Das kenne ich ja gar nicht!«, rief ich.

»Weiß ich, Boy. Deshalb sage ich es euch beiden ja auf. Hört her!«

Der Alte überlegte einen Augenblick mit geschlossenen Augen und rezitierte dann fließend aus dem Gedächtnis:

Die Ballade von der Maus, die die Katze vertrieb

Ein Mäuschen war, wie kläglich,
Gefangen von der Katz.
Nun saß es unbeweglich
Und stumm auf seinem Platz.

Es regte nicht ein Pfötchen.
Es machte keinen Satz.
Brav wie ein kleines Mädchen
Beguckte es die Katz.

Da rief die Katze: »Kleine,
Willst du nicht tanzen? Nun?
Bewegst du nicht die Beine,
Wie's andre Mäuse tun?«

Da pötzlich wurd das Mäuschen
So zornig wie noch nie.
Es kam ganz aus dem Häuschen,
Sah rot vor Wut und schrie:

»Eh ich vor Katzen tanze,
Grab ich mir selbst mein Grab,
Weil ich von Kopf bis Schwanze
Noch Ehr im Leibe hab!

Den Katzen zu Gefallen
Sollte ich tanzen? Nein!
Ich fürchte nicht die Krallen!
Und sterb ich, soll's halt sein.«

Die Maus schrie laut und lange.
Dem armen Katzenvieh
Wurde am Ende bange,
Weil diese Maus so schrie.

Die Pfoten in den Ohren,
Entfloh die Katz sogar,
Die Maus blieb ungeschoren.
Und das ist wirklich wahr!

Meine Untergroßmutter klatschte nach dem Gedicht begeistert in die Hände. »Boy!«, rief sie. »Das ist ja ein ent-zü-cken-des Gedicht! Habt ihr davon noch mehr auf Lager?«

»Man soll seine Leute nicht überfüttern, Anna«, sagte mein Urgroßvater. »Weder mit Bonbons noch mit Gedichten. Aber vielleicht kann dir der kleine Boy das Gedicht vom Bären und vom Eichhorn aufsagen, das ich vor Jahren geschrieben habe. Kannst du es noch, Boy?«

Ich schloss die Augen, dachte nach, kam auf den Anfang des Gedichtes, haspelte es in Gedanken einmal herunter, öffnete wieder die Augen, erklärte, dass ich es noch aufsagen könne, und tat es:

Der Bär und das Eichhorn

Ein Bär, das stärkste Tier im Wald,
Trat einmal aus Versehen
Dem armen Eichhorn Willibald
Im Walde auf die Zehen.

Er sagte nicht: »Pardon, mein Herr!«
Er tappte in Gedanken
Als Bär verquer im Wald daher.
(Ein Bär kennt keine Schranken.)

Da rief das Eichhorn Willibald:
»He, Dicker, bleib mal stehen!
Man tritt nicht einfach hier im Wald
Wem anders auf die Zehen!«

Der Bär verhielt auf weichem Moos
Verwundert seine Schritte
Und fragte, ganz gedankenlos,
Das kleine Tier: »Wie bitte?«

Das Eichhorn, das im Humpelschritt
Zum Bären kam geschritten,
Sprach: »Wer wem auf die Zehen tritt,
Muss um Verzeihung bitten!

Wenn du auch stärker bist als ich
An Körperkraft und Krallen:
Dergleichen find ich widerlich!
Ich lass mir's nicht gefallen!«

Die Pfötchen voller Wut geballt
(Doch kleiner als ein Hase),
So trat das Eichhorn Willibald
Dem Bären vor die Nase.

Der Bär, mit bärigem Gebrumm,
Verblüfft und auch betreten,
Hat in der Tat das Eichhorn um
Entschuldigung gebeten.

Da sprach das Eichhorn Willibald:
»Schon gut! Schon gut! Doch künftig,
Gehst du mal wieder durch den Wald,
Sei achtsam und vernünftig!«

»Gut«, sprach der Bär, »ich merk es mir!«
(Was Willibald sehr gut tat.)
So kann man auch ein großes Tier
Belehren, wenn man Mut hat.

Als ich das Gedicht aufgesagt hatte, schwieg die Untergroßmutter zunächst. Dann fragte sie leise: »Ihr seid richtige große Dichter, Boys, nicht?«

»Wir können das, was wir jemandem erklären wollen, in Verse fassen, Anna«, sagte mein Urgroßvater. »Bestimmt machen wir es besser als Paulchen Pink, der für Hochzeiten dichtet. Aber ebenso bestimmt sind wir nicht so groß wie der Herr Hölderlin, den du nicht kennst.«

»Kommt der Herr Hölderlin manchmal als Kurgast hierher, Boy? So ein langer, der immer Tennis spielt?«

»Nein, Anna«, lachte mein Urgroßvater. »Der Herr Hölderlin ist schon lange tot. Auch große Dichter müssen sterben.«

Meine Untergroßmutter seufzte (was sie gerne tat). Dann rief uns die Obergroßmutter zum Essen.

Wir ließen der Untergroßmutter natürlich den Vortritt und stapften, beladen mit ihren Pelzsachen, hinter ihr her ins Parterre. Dabei fragte mein Urgroßvater leise: »Weißt du, welche Art von Heldentum in beiden Gedichten beschrieben wurde, Boy?«

»Ich glaube, man nennt so etwas: Männerstolz vor Königsthronen, Urgroßvater!«

»Ja, Boy. So nennt man es. Aber es gibt ein einziges Wort dafür. Es heißt Zivilcourage. Manchmal braucht man sie auch im Umgang mit deiner Obergroßmutter.«

Kurz nach dieser geflüsterten Bemerkung wies die Obergroßmutter uns unsere Plätze am Tisch an. Wir aßen Labskaus, das aus getrocknetem Salzfisch, Kartoffeln, Zwiebeln und Gurkenstückchen bereitet wird. Dieses Essen gab es immer an den Tagen, an denen unser Kutter nach Hamburg fuhr.

Nach dem Essen legte sich mein Urgroßvater für zwei Stunden ins Bett, und ich kroch wieder hinauf auf den Speicher, um ein Gedicht über den Männerstolz vor Königsthronen zu verfassen. Es gelang leidlich, denn Labskaus liegt nicht schwer im Magen. Ich dichtete wieder auf der Tapetenrückseite.

Als mein Urgroßvater am späten Nachmittag heraufkam, sagte ich: »Die Tapete ist wertvoller geworden. Es steht ein neues Gedicht auf der Rückseite, die Ballade vom König und dem Hirten. Willst du sie hören?«

»Nein, Boy, erst hörst du dir die Geschichte vom König und dem Floh an, die ich erzählen will.« Ohne Pfeife und ohne lange Einleitung erzählte er mir vom Rollstuhl aus:

Die Geschichte vom König und dem Floh

In alter Zeit lebte ein König, dem nichts widerwärtiger war als ein Floh oder eine Wanze. Nun gab es zu jener Zeit weder Insektenpulver noch Sprühmittel gegen die lästigen Krabbeltiere. Auch Könige hatten damals Floh- und Wanzenstiche. Nur dieser eine König blieb nahezu verschont davon. Er stieg nämlich allabendlich mit allen Kleidern in ein Bad. Hatte sich nun untertags ein Floh oder eine Wanze in die königlichen Gewänder verirrt, so stieg das Tier, weil es Wasser verabscheute, schleunigst an die Wasseroberfläche und wurde hier von einem besonders geschickten königlichen Kammerjäger geknackt. Die Majestät aber konnte, unbelästigt von Insektenstichen, schlafen gehen.

Die Mär von dem König, der fast nie gestochen wurde, verbreitete sich unter den Menschen ebenso wie unter den Insekten.

Nun fasste ein Floh den Entschluss, ebendiesem König mit seinen Stichen lästig zu werden. Das war angesichts des ausgezeichneten königlichen Kammerjägers ein nahezu heldenhafter Entschluss; denn für den Floh ging es dabei um Sein oder Nichtsein.

Dennoch schritt der Floh zur Tat, vielmehr sprang er zur Tat, nämlich in das besonders dicke volle Haar des Königs.

Den ganzen Tag über saß der Floh im Haarschopf, ohne sich zu regen. Einmal wäre er vom Rand der schweren Krone fast zerquetscht worden; aber er konnte sich gerade noch seitwärts in die Haarbüschel schlagen.

Als nun der König am Abend wie immer mit allen Kleidern ins Bad stieg, zitterte der Floh ein wenig. Vielleicht, dachte er bebend, steckt der König auch den Kopf ins Wasser. Aber dies geschah zum Glück nicht. Der Floh kam ungewässert davon und ging mit dem König zu Bett.

Kaum aber hatte seine Majestät den Kammerjäger entlassen und sein Nachtgebet gesprochen, als der Floh, der untertags hungrig

geworden war, aus dem königlichen Haarschopf heraussprang, den Nacken entlang unter das königliche Nachtgewand hüpfte und sich selig mit königlichem Blute vollsoff.

Der König brüllte, als er sich gestochen fühlte, der Kammerjäger stürzte auf das Brüllen hin wieder ins Schlafgemach und unterzog allsorglich das königliche Nachtgewand einer eingehenden Prüfung.

Aber es war umsonst. Der Floh saß schon wieder gut verborgen in den königlichen Locken und schlief sogar. Niemand kam auf den Gedanken, im Haar der Majestät nach einem Floh zu suchen.

Eine ganze Woche lang narrte der gewitzte Floh den König, den Kammerjäger und sämtliche Insektenfachleute, die der König zurate gezogen hatte. In der achten Nacht aber wurde er übermütig und nahm den Weg nicht wie üblich den Nacken hinunter, sondern vorn über das Gesicht. Diesmal spürte der König den Floh kommen, sah ihn sogar auf seiner Nasenspitze, fasste zu und hatte das Tier zwischen zwei Fingern.

»Hab ich dich endlich!«, rief Seine Majestät. »Jetzt knacke ich dich augenblicklich!«

Aber dann fiel dem König ein, dass der Floh ja jetzt gewissermaßen von königlichem Blute sei. Ein Gesetz aber bestimmte, dass jeder, der von königlichem Blute war, am Hofe Kost und Wohnung erhalten müsse.

»Gesetz ist Gesetz«, seufzte der König.

Er läutete dem Kammerdiener und dem Kammerjäger, zeigte stolz den gefangenen Floh und sagte dann niedergedrückt: »Dieser Floh ist leider von königlichem Blute. Der Hofgoldschmied soll ihm ein Krönchen und einen goldenen Käfig bauen. Täglich einmal werde ich den Floh höchstselbst füttern, indem ich ihn durchs Gitter an einer Fingerspitze saugen lasse. Man tue, wie ich geheißen!«

Der Kammerjäger übernahm nun den Floh und bewahrte ihn so

lange in einem Schächtelchen mit Luftlöchern auf, bis Krone und Käfig geschmiedet waren.

Seitdem hockt der gekrönte Floh, von allen Insekten bewundert und beneidet, im königlichen Palaste, wird allen Besuchern vorgeführt, nährt sich von königlichem Blute und verflucht vom Morgen bis zum Abend seine Heldentat, die ihn zum Gefangenen im goldenen Käfig gemacht hat.

Mein Urgroßvater stocherte wieder einmal in seiner Pfeife herum, als die Geschichte zu Ende war. »Ich suche ein Wort«, murmelte er dabei, »ein ganz bestimmtes Wort, mit dem man die Tat des

Flohs bezeichnen kann; aber es fällt mir nicht ein. Irgendeine alte Bezeichnung für einen Reiter kommt darin vor.«

»Vielleicht meinst du Husarenstück«, bemerkte ich vorsichtig.

»Ja, Boy!«, brüllte der Alte. »Ja, Boy, das Wort meine ich! Du kennst deine Sprache, Knabe. Ich meinte tatsächlich Husarenstück. Denn das, was der Floh getan hat, war ein Husarenstück. Dazu braucht man Mut, Witz und Geistesgegenwart.«

»Und sind das Helden, die Husarenstücke liefern, Urgroßvater?«

»Tja, Boy ...« Die Pfeife qualmte wieder friedlich. »Wer so ein Husarenstück durchsteht, der hat tatsächlich etwas von einem Helden. Er begibt sich nicht blind in die Gefahr, sondern sehend. Er schätzt sie ab, bevor er sich hineinbegibt. Aber dieser Floh, Boy, unternahm sein Husarenstück eigentlich nur aus Nervenkitzel, aus Spaß an der Gefahr. Und das Suchen von Gefahren ist ein bisschen dümmlich, will mir scheinen: Es ist auch niemandem damit gedient.«

»Vielleicht ist der Hirte in meiner Ballade, der auch ein Husarenstück lieferte, ein richtiger Held«, meinte ich. »Soll ich mal vorlesen?«

»Wenn es um ein Husarenstück geht, mein Sohn, dann lies vor! Nichts passt im Augenblick besser.«

Also las ich von der Tapete:

Die Ballade vom König und dem Hirten

Ein gewisser König Peter,
Grausam, groß und ungeschlacht,
Sagte: »Früher oder später
Beugt sich jeder meiner Macht!
Jeder fürchtet mit der Zeit
Meine Machtvollkommenheit.«

Dies vernahm ein junger Schäfer.
Im Vergleich zum König war
Dieser Schäfer nur ein Käfer.
Trotzdem sprach er, kurz und klar:
»Ich erteil dem auf dem Thron
Eine nützliche Lektion!«

Er erfuhr im Hinterzimmer
Auf dem Schlosse (das war klug),
Dass der böse König immer
Eine goldne Maske trug.
»Diese Maske«, rief der Wicht,
»Reiße ich ihm vom Gesicht!«

Er erlernte (ach, wie schmählich)
Erst einmal die Schmeichelkunst
Und erschlich sich so allmählich
Tag für Tag des Königs Gunst.
Schließlich war er, denkt mal an,
Gar am Hof der erste Mann.

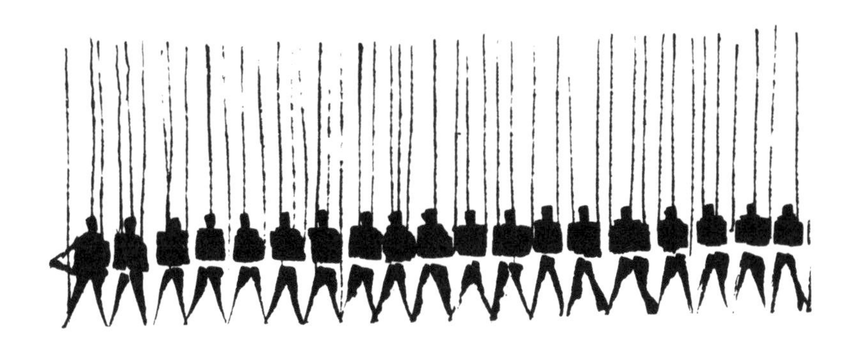

Nun erklärte er dem König:
»Ihr seid immer ernst und stumm.
Scherzen wir doch auch ein wenig,
Drehen wir die Rollen um.
Schlüpft in meinen Rock hinein,
Und lasst mich mal König sein!«

Dieser Vorschlag war gefährlich.
Majestät erstarrte ganz.
Doch dann fand der König ehrlich
Spaß an diesem Mummenschanz.
Plötzlich riss er, kurz und knapp,
Sich die goldne Maske ab.

Als die Maske war herunter,
Hat er sich als Hirt drapiert.
Und der Hirte hat sich munter
Wie der König ausstaffiert.
Der maskierte Hirte war
König, unverwechselbar.

Der Herr König, ohne Sorgen,
Zeigte nun sein Angesicht.
Was die Maske hat verborgen,
Kannten ja die Leute nicht.
Niemand in der Dienerschar
Ahnte, wer er wirklich war.

Als der Hirte deshalb sagte:
»Wachen, packt den fremden Mann!«
Da, ihr lieben Leute, wagte
Jeder sich an ihn heran.
Unbedeckten Angesichts
War der König Hirt. Sonst nichts.

Doch als Majestät verhaftet
Hinter Kerkermauern saß,
Riss der Hirt, der unbewaffnet
Mit dem Hof zu Abend aß,
Mitten unterm Hauptgericht
Sich die Maske vom Gesicht.

»Liebe Leute«, rief der Hirte,
»Ich bin nicht der König, nein:
Eure Wache, die sich irrte,
Sperrte just den König ein.
Ich, ihr Herren, schaut mich an,
Bin ein Hirt, ein armer Mann!

Ich erteilte eurem König
Eine nützliche Lektion.
Nun verschwind ich. Gebt ein wenig
Zeit mir, bis ich bin entflohn.
Bin ich fort, dann könnt ihr gern
Wiederholen euren Herrn!«

Doch das Volk, erlöst und heiter,
Rief: »Der König bleibt im Loch!
Trage du die Maske weiter!
Werde du der König doch!
Wir sind glücklich, wenn ein Hirt,
Der uns wohlwill, König wird.«

Lächelnd sprach der Hirt: »Ihr Leute,
Maskenhaft regier ich nicht.
Soll ich König sein ab heute,
Sei's mit blankem Angesicht.«
Laut hat da das Volk gekräht:
»Einverstanden, Majestät!«

So verlor der ganz verwirrte,
Böse König seine Kron.
Und es setzte sich der Hirte
Auf den goldnen Königsthron.
Risse man doch manchem Wicht
So die Maske vom Gesicht!

Nach der Vorlesung sagte mein Urgroßvater nur: »Donnerwetter!« Sonst nichts. Aber dieses »Donnerwetter« machte mich sehr stolz;

denn es bedeutete, dass meine Ballade ihm gefallen hatte. Außerdem fand er, dass der Hirte ein wirklicher Held sei.

»Es gehört immer Mut dazu, den Großen und Mächtigen der Welt die Maske vom Gesicht zu reißen, Boy. Wenn sich zum Mut noch Witz gesellt wie im Falle dieses Hirten, wenn's außerdem ums Leben geht und nicht um des Vorteils willen geschieht, sondern einfach aus Empörung über das Unrecht, dann hast du das Husarenstück, das eine gute Tat ist, und einen Helden obendrein.«

»Gehört zum Helden, dass er eine gute Tat tut, Urgroßvater?«

»Nicht in jedem Falle, Boy, aber meistens!«

Der Alte rollte ans Fenster und blickte aufs dunkle Meer und die Lichterkette der Landungsbrücke. »Heldentaten«, sagte er, »sind wie diese Lampen da unten, Positionslichter in einer Welt voll Unrecht und voll Willkür. Ihr Licht macht anderen Mut.«

Als ich das Gesicht meines Urgroßvaters vor dem Fenster sah, die weißen Haare, die kräftige Nase und den Bart am Kinn, da dachte ich: So könnte Homer ausgesehen haben, der vor mehr als zweitausend Jahren die Taten der griechischen Helden beschrieb.

Deshalb bat ich ihn, mir ein Abenteuer des Herrn Herkules aus dem schwarzen Wachstuchheft vorzulesen.

Diesem Wunsch konnte seine Dichtereitelkeit nicht widerstehen.

Er bat mich, das Licht anzumachen, und ich tat es. Das kleine Zimmer wurde hell, die Fensterscheiben wurden zu schwarzen Spiegeln, und die Büste Homers wurde zum Kopf meines Urgroßvaters.

Nun nahm der Alte das Heft von der Kommode, blätterte ein bisschen darin und sagte dann: »Da der Hirt in deiner Ballade List angewandt hat, um dem König die Maske vom Gesicht zu reißen, lese ich dir ein Abenteuer vor, in dem auch Herkules eine List anwandte.«

Aus dem Heft, das auf der Lehne des Rollstuhls lag, las mein Urgroßvater:

Die Ballade von Herkules und den Amazonen

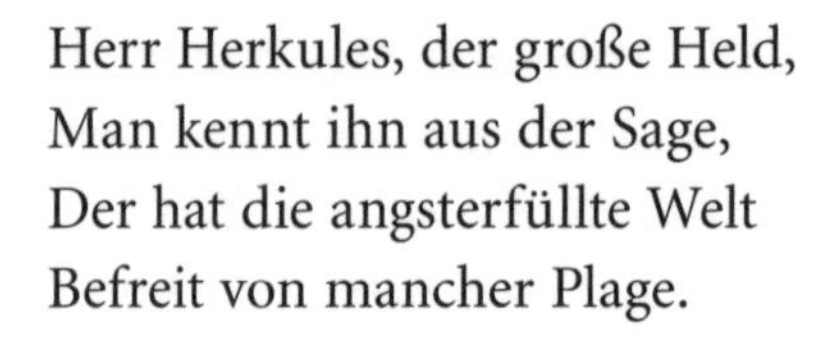

Herr Herkules, der große Held,
Man kennt ihn aus der Sage,
Der hat die angsterfüllte Welt
Befreit von mancher Plage.

Einst sollt er gegen seinen Sinn
(Wenn möglich, gar verstohlen)
Zur Amazonenkönigin
Und deren Gürtel holen.

Das tat er. Aber wenig froh.
Mit Krieger-Legionen
Zog Herkules zum Lande, wo
Die Amazonen wohnen.

Hier herrschte nur der Frauensinn.
Und über dem Gebiete
Regierte eine Königin,
Die stolze Hyppolite.

Herr Herkules trat vor sie hin
Mit wunderhübschen Gaben.
Er sagte: »Edle Königin,
Den Gürtel will ich haben!«

Die Königin erwog den Fall
Mit vorgeschobner Lippe
Und ging dann zur Frau Feldmarschall,
Zur Schwester Melanippe.

Die Göttin Hera aber trat,
Vermummt als Amazone,
Zu beiden Damen mit dem Rat:
»Gebt Acht! Er will die Krone!«

Da kam die Königin in Wut.
Ihr Zorn ließ sich nicht dämpfen.
Sie rief: »Er will die Krone? Gut,
Dann soll er mit uns kämpfen!«

Als Herkules den Spruch gehört,
Beschlich ihn leises Grauen.
Auch seine Krieger warn verstört.
Wer kämpft schon gern mit Frauen?

Doch schon erschien das Damenheer,
Die Kriegerrosse schnoben.
Da gab es rings kein Halten mehr,
Die Schlacht begann zu toben.

Doch Herkules schlug ganz allein
Dem Damenheer ein Schnippchen.
Er fing die Feldmarschallin ein,
Das tapfre Melanippchen.

Auf einen Felsen trug er sie,
Wo nur die Adler wohnen.
Dort hob er sie empor. Da schrie
Das Heer der Amazonen.

»Er bringt sie um!« Man rief's voll Graus.
Doch Herkules sprach munter:
»Liefert man mir den Gürtel aus,
Werf ich sie nicht hinunter!«

Da rief man (und das war wohl klug):
»Verschon die Feldmarschallin!«
Und Herkules, breit lächelnd, trug
Zurück die Generalin.

So endete der kurze Krieg
Der Männer und der Frauen.

Es war ein wohlverdienter Sieg
Herrn Herkules', des Schlauen.

Er ging sogleich mit leichtem Sinn
Und ruhigem Gemüte
Zur Amazonenkönigin,
Zur schönen Hyppolite.

Sie schnallte ihren Gürtel ab
(Wie alle Sagen melden)
Und stieg sodann vom Thron herab
Und gab den Gurt dem Helden.

Der sagte freundlich Danke schön
Und küsste ihr die Hände.
Dann musste er nach Hause gehn.
Sein Auftrag war zu Ende.

Seitdem kann man auf dieser Welt
In manchen Büchern lesen:
»Der allererste Weiberheld
Ist Herkules gewesen.«

Als mein Urgroßvater das Heft wieder zuklappte, lachte ich und sagte: »Eigentlich war es ein lustiges Heldenstück. Gibt es lustige Heldentaten auch?«

»Mehr als genug, Boy! Lass uns morgen ein wenig genauer darüber reden und nachdenken. Heute haben wir schon eine ganze Menge über Helden herausgebracht. Wir wissen, dass es heldenhaft sein kann, Neuland zu betreten und Brücken hinter sich abzubrechen. Du hast es an Henry mit den achtzehn Tanten gezeigt; wir hätten es aber auch am Beispiel des Christoph Kolumbus zeigen können. Wir wissen außerdem, dass Zivilcourage und Männerstolz vor Königsthronen Heldentum ist, mal mehr wie bei deinem Hirten, mal weniger wie bei dem Pinguin.«

»Und wir wissen, dass nicht jedes Husarenstück eine Heldentat ist, Urgroßvater.«

»Jawohl, Boy! Und morgen wollen wir darüber nachdenken, ob Heldentaten immer todernste Angelegenheiten sein müssen oder ob es auch lustige Heldentaten gibt. Ich will jetzt schon darüber nachdenken. Geh du schon nach unten und spiel mit deiner Obergroßmutter Halma. Sie spielt es so gern und wir müssen nett zu ihr sein.«

»Aber sie mogelt!«, rief ich. »Sie ist die größte Schummlerin der Insel.«

»Dann mogle auch, Boy! Aber mach es geschickt. Die Obergroßmutter wird wütend, wenn sie andere Leute schummeln sieht.«

Da kletterte ich hinkend und seufzend hinunter ins Parterre, um Halma mit der Obergroßmutter zu spielen.

Aber es kam nicht zum Spiel. Unten hörte ich nämlich Stimmen im Wohnzimmer, wohlbekannte Stimmen, die wechselweise ein Gedicht aufzusagen schienen.

Da schlich ich mich leise an die Tür und lauschte, obwohl es im Flur empfindlich kalt war, dem Rezitieren.

Niemand anders als meine beiden Großmütter sagten Friedrich

Schillers Ballade vom Handschuh auf. Wenn eine nicht weiterwusste, sprang die andere ein. Sie sagten die Verse mit schrecklich übertriebener Betonung auf und mit einer Leidenschaft, als ob sie zu viel Eierlikör getrunken hätten. Zum Schluss schmetterte die Untergroßmutter:

»Und er wirft ihr den Handschuh ins Gesicht:
›Den Dank, Dame, begehr ich nicht!‹
Und verlässt sie zur selben Stunde.«

Danach klatschten die beiden alten Damen sich selbst Beifall, lobten gegenseitig ihr gutes Gedächtnis und fingen tatsächlich an, über Heldentum zu reden.

Da ich für diesen Tag genug von Helden hatte, wollte ich mich gerade wegschleichen, als das Gespräch eine andere Wendung nahm.

»Ich glaube, unser Alter macht's nicht mehr lange«, sagte die Obergroßmutter. »Die Krankheit ist schlimmer, als er wahrhaben will. Ich darf mit dem kleinen Boy nicht darüber reden. Morgen kommt der Arzt. Dann soll der Kleine aus dem Haus. Ich werde ihm sagen, du hast ihn zu Kaffee und Kuchen eingeladen, Anna.«

»Aber Margaretha!«, hörte ich meine Untergroßmutter rufen. »Er hat doch einen vereiterten Fuß!«

»Dann hinkt er eben ins Unterland. Jugend wird von selbst gesund.«

Ich hatte keine Lust, dem Gespräch weiter zu lauschen. Leise schlich ich mich in den ersten Stock und ging ins Bett.

In dieser Nacht mochte ich weder lesen noch schreiben und ich konnte lange nicht einschlafen, weil ich immer wieder daran denken musste, dass mein Urgroßvater eines Tages nicht mehr für mich da sein würde.

Der Mittwoch, an dem wir lachen, weil wir traurig sind. Handelt demgemäß von lustigen Helden. Stellt fest, dass die Untergroßmutter für falsche Helden schwärmt und dass Spaßmachen von Beruf mürrisch macht, zeigt, dass Herkules der erste Held der Arbeit war und dass ein Ferkel mit einer Armbanduhr gar nicht so absonderlich ist. Endet ungewöhnlicherweise mit einem Gebet.

Der Mittwoch

Vermummt mit Wintermantel, dickem Schal und Pudelmütze wurde ich am nächsten Morgen zur Untergroßmutter ins Unterland geschickt.

Ich ließ mir nicht anmerken, dass ich über die Krankheit des Urgroßvaters und den Besuch des Arztes Bescheid musste. Ich sagte mit möglichst fröhlicher Stimme zum Urgroßvater: »Die Untergroßmutter interessiert sich neuerdings anscheinend auch für Helden. Wenn sie mich danach fragt, werde ich ihr von lauter komischen Helden erzählen. Sie lacht so gern. Und wir wollten doch heute über lustige Heldentaten nachdenken.«

»Stimmt, Boy«, sagte mein Urgroßvater. »Ich werde in der Zwischenzeit auch über einen komischen Helden nachdenken. Vielleicht kommt dabei eine Geschichte heraus. Die erzähle ich dir dann am Nachmittag.«

»Einverstanden, Urgroßvater!«

Lachend trennten wir uns und wussten doch beide, dass die Untersuchung des Arztes an diesem Morgen eine sehr ernste Sache war.

Aber auf dem Weg ins Unterland – die Ferse schmerzte dabei, und ich benutzte den Fahrstuhl statt der Treppe – auf dem Weg zur Untergroßmutter, durch Wind und Frost und die kahle Kastanienallee des Unterlandes, auf dem Weg zur Untergroßmutter, die so gern lachte, kamen mir trotz oder vielleicht auch wegen der Angst um den Urgroßvater lauter lustige Sachen in den Kopf.

Als ich das große gelbe Haus hinter den beiden Kastanienbäumen betrat und von Urax, dem uralten Bernhardiner, wie üblich beinahe umgeworfen wurde, sagte ich zur Untergroßmutter: »Ich habe unterwegs ein Gedicht angefangen. Darf ich es auf dem Speicher zu Ende dichten?«

»Aber du musst es mir hinterher vorlesen, Boy! Und du musst mir versprechen, dich nicht so furchtbar abzuplagen. Für große Gedanken ist dein Kopf noch viel zu klein.«

»Ehrenwort, Untergroßmutter«, sagte ich feierlich. Ich habe bestimmt keine große Gedanken. Ich mache nur Spaß.«

»Dann zieh dich aus, häng deine Sachen an die Garderobe, Boy, und verzieh dich auf den Speicher. Urax, geh in deine Kiste!«

Der alte Hund sah mich mit einem erbarmungswürdigen Blick von unten her an und schlich dann in das offene Vogelzimmer mit den ausgestopften Vögeln unter Glas, in dem im Winter immer seine Kiste stand. Ich aber kletterte ins Speicherzimmer unter dem Dach, machte es mir unter dem Gerümpel bequem, holte den mitgebrachten Zimmermannsbleistift aus meiner Tasche und schrieb schließlich, weil ich mir bei der Untergroßmutter alles erlauben durfte, das Gedicht auf die weiß gekalkte Wand. Außerdem dachte ich mir noch eine Geschichte aus, die ich auf die Rückseite eines riesigen Plakates schrieb, das zu einer Segelregatta dreißig Jahr vorher eingeladen hatte und nun eingerollt auf einem ausrangierten Sofa lag.

Gegen zwei Uhr kam die Untergroßmutter herauf. Urax, immer noch mit diesem erbarmungswürdigen Blick, zottelte hinter ihr her.

»Was hat Urax eigentlich?«, fragte ich. »Er guckt mich dauernd so vorwurfsvoll an.«

»Früher hast du ihn zum Dichten immer mit auf den Speicher genommen«, erklärte meine Untergroßmutter. »Jetzt findest du ihn anscheinend zu alt, und das kränkt ihn.«

»Aber Untergroßmutter!«, rief ich. »Du warst es doch selbst, die ihn in seine Kiste geschickt hat! Außerdem habe ich ihn nie mitgenommen. Hunde stören beim Dichten.«

»Du magst wohl keine alten Hunde?«, fragte sie darauf ebenso unlogisch wie empört.

»Quatsch!«, sagte ich. »Den Urax mag ich heute noch genauso gern wie früher. Außerdem spiele ich oft viel lieber mit dem Urgroßvater als mit meinem Freund Jonny Flöter. Dabei ist der alte Boy sechsundachtzig und Jonny Flöter zwölf.«

»Stimmt, Boy, daran habe ich gar nicht gedacht. Du bist ja ein Dichter, und die sind was Apartes. Was hast du denn gedichtet?«

»Ein Heldengedicht, Untergroßmutter. Es steht dort an der Wand.«

Sie schlug in gespielter Entrüstung die Hände zusammen: »Ihr Dichter werdet von Jahr zu Jahr verrückter. Jetzt dichtest du schon auf Kalk. Liest du mir das Gedicht vor? Ich habe meine Brille nicht bei mir.«

Da kniete ich mich neben Urax nieder, kraulte dem Hund, um ihn wieder zu versöhnen, das langhaarige Fell und las:

Die Ballade von Martinus Meurer

Er hieß Martinus Meurer.
Ihn kannte alle Welt.
Er war ein Abenteurer
Und Superheld.

Im Boxring ungeschlagen,
Und stets, wenn man ihn sah,
Mit einem schnellen Wagen,
So stand er da!

Kein Ziel, das er nicht träfe
Mit seinem Wundercolt!
Er traf noch jede Schläfe,
Wenn er's gewollt!

Er war als Flugzeugführer,
Als U-Boot-Kommandant,
Notfalls als Tapezierer,
Einfach rasant.

Er kochte für die Götter,
Er geigte wundervoll.
Als kluger Kopf und Spötter
War er ganz toll.

Ihn liebten Fraun und Kinder,
Sein Rhesusäffchen und
Es liebte ihn nicht minder
Sein Heldenhund.

Der Hund war sehr gefährlich.
Er hatte Riesenkraft.
Doch fand sein Herr das herrlich
Und fabelhaft.

So manches Abenteuer,
So manche böse Stund,
Bestand Martinus Meurer
Mit seinem Hund.

Martinus war wie keiner
Bewundert ringsherum.
Doch niemals sah ihn einer.
Ich weiß, warum:

Es schuf ihn ein Erzähler
Mit sehr viel Fantasie.
Drum hat er einen Fehler:
Es gab ihn nie.

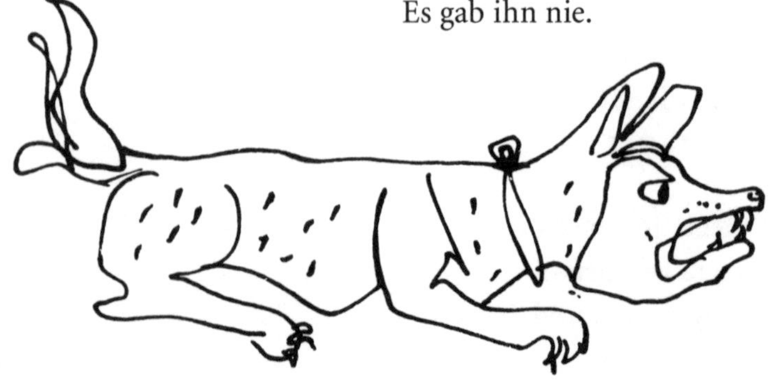

Während Urax, der Bernhardiner, von dem Gedicht befriedigt schien und mich nicht mehr vorwurfsvoll von unten her anschielte, war die Untergroßmutter gar nicht zufrieden mit meinem Gedicht.

»Wie kannst du so einen schönen und tapferen Mann schlechtmachen und sagen, dass es so etwas nie gegeben hat!«, empörte sie sich. »Ich lese Bücher über solche Männer sehr gern. Denk nur an die kühnen Ritter und den edlen Siegfried!«

»Der Urgroßvater findet, dass Siegfried überhaupt kein Held ist«, sagte ich schnell. »Ich finde es auch komisch, wenn man Held von Beruf ist. Deshalb habe ich auf dieses Plakat eine Rittergeschichte von einem komischen Ritter geschrieben. Willst du sie hören?«

Die Untergroßmutter kann Geschichten nicht widerstehen. Obwohl sie etwas murmelte von kalten Kartoffeln und lauwarmem Möhrengemüse, ließ sie sich ergeben in einen nicht mehr ganz intakten Schaukelstuhl fallen und seufzte: »Dichter bringen jeden Haushalt durcheinander; aber lies nur vor, kleiner Boy!«

Da setzte ich mich meinerseits in eine Riesenrolle aus Schiffstauen, wartete ab, bis Urax sich neben mir niedergelassen hatte, und las vor:

Die Geschichte von Pommelot, dem unbesiegten Ritter

Wer als Sohn eines Ritters geboren wurde, war dazu verdammt, ebenfalls Ritter zu werden. Auch wenn er lieber Lieder sang oder die Harfe zupfte, musste er sich dennoch im Kampfspiel mit Pferd und Lanze üben und den Gesang den herumziehenden Minnesängern überlassen.

Einst bekam ein Ritter einen Sohn, den er Pommelot nannte. Der war von Geburt an pummelig und blieb es sein Leben lang. Auch aß er zeitlebens gern gute Sachen, sang und dichtete gern und hatte zur Ritterei nicht die geringste Lust.

Leider musste er als Rittersohn auch alle Ritterkünste lernen: Fechten, Reiten, Bogenschießen, Lanzenstechen und was derlei brotlose Künste mehr sind. Oft dachte er: »Wenn ich mich schon in brotlosen Künsten üben muss, dann singe und dichte ich lieber!« Aber sein Vater war unbarmherzig. Er ließ ihn mit Falken jagen, er ließ ihn Hirsche hetzen, und er zwang ihn, das Lanzenstechen fürs Turnier zu üben. Nur des Abends durfte Pommelot unter den Erkerfenstern ebenso dicker wie dummer Edelfrauen die Klampfe schlagen und in lächerlichen Versen den Verliebten spielen.

Als dieser Pommelot in das Alter kam, da er zum Ritter geschlagen werden sollte, war er auf das notwendige Turnier schlecht vorbereitet, da er sich wenig Mühe bei den Übungen, dafür aber heimlich umso mehr Mühe beim Dichten gegeben hatte.

Wie es nun Zufall oder Schicksal wollten, gab er seinem – übrigens gutwilligen – Pferd einige Tage vor dem entscheidenden Turnier das übliche Schälchen voll Sirup zur Belohnung für einen langen Ritt. Hierbei fiel ihm auf, mit welcher Gier und Wonne sein

Pferd den Sirup schleckte. Da kam ihm ein wunderlicher, ganz und gar unritterlicher Einfall.

»Wenn unsere Pferde so gern Sirup schlecken«, sagte er sich, »dann soll der Sirup mich zum einzigen unbesiegten Ritter dieser Erde machen!«

Um seinen Einfall zu verwirklichen, waren allerdings einige Vorbereitungen nötig. Erstens ließ Pommelot sich eine Rüstung schmieden, die so furchterregend aussah wie keine andere weit und breit, zweitens ließ er sich eine Lanze herrichten, die mit ihren gebogenen Widerhaken jeden in Furcht und Schrecken versetzte, der sie auf seinen Leib gerichtet sah, drittens machte er sich am Schweif seines Pferdes zu schaffen. Doch was er dort machte, war und blieb bis zum Tode sein Geheimnis.

Am Tage des Turniers, an dem sich entscheiden sollte, ob er zum Ritter geschlagen werden würde, machte er ungeheuren Eindruck, besonders auf die Damen mit den spitzen Hüten und den Schleiern.

»Mag er auch ein wenig beleibt sein«, flüsterten sie hinter behandschuhten Händen, »so scheint er doch ein kühner Mann und Held zu sein!«

Die Ritter betrachteten Pommelot mit einigem Argwohn und mit Unbehagen, weil er nicht so war, wie andere Ritter waren.

Der Kampf der Reiter, Pferde und Lanzen wurde immer, wenn Pommelot heranritt, zu einem seltsamen Schauspiel. Kaum senkte der dicke Ritter die grässliche Lanze, kaum sprengte er in seiner furchterregenden Rüstung auf den Gegner zu, da scheute das Pferd des Gegners plötzlich, und ehe der Reiter es mit Zügeln und Sporen zur Räson bringen konnte, war es, scheinbar zitternd vor Furcht, hinter das Pferd Pommelots galoppiert und leckte diesem Pferd den Schweif, als bettele es um Gnade.

Sieben Gegner mussten den Kampf gegen Pommelot abbrechen, weil ihre Pferde nicht parierten. Am Ende blieb den Kampfrichtern nichts anderes übrig, als Pommelot, den Unbesiegten, zum Ritter zu schlagen.

Solange Pommelot lebte, blieb es wie beim ersten Mal. Er siegte in jedem Turnier, ohne auch nur mit der Lanze einen Ritter vom Pferd stoßen zu müssen. Stets machte das Pferd des Gegners dem Kampf vorzeitig ein Ende.

Eine ganze Reihe von Rittern ließ sich die Rüstung und die Lanze Pommelots nachschmieden in der Hoffnung, der fürchterliche Anblick von Wehr und Waffen würde das gegnerische Pferd ängstigen. Aber es nützte ihnen nichts. Sie wurden angegriffen wie ge-

wöhnlich und mussten sich ihrer Haut und Rüstung wehren wie sonst. Einzig Pommelot blieb ständig unangegriffen, unversehrt und daher auch unbesiegt bis zu seinem Tode.

Auf seinem Grabstein, den man heute noch sehen kann, steht zu lesen:

> Hier ruht der Ritter Pommelot, der
> so kühn, so heldenhaft, so furchterregend war,
> dass niemand ihn in seinem langen Leben
> je besiegt hat.
> Er ruhe in Frieden!

Was die wenigsten wissen, ist, dass Pommelot, seit er ein Ritter war, nie mehr die Kunst des Turniers geübt, sondern verkleidet als Minnesänger gedichtet und gesungen hat und dennoch, wenn er einmal zum Turnier antreten musste, kampflos Sieger blieb.

Nur einem Kollegen, einem Minnesänger, hat er sich einmal anvertraut. Und von ihm kennt die Nachwelt das Geheimnis Pommelots: Der kluge kleine Ritter, der wusste, dass die Pferde nach Sirup lechzten, aber viel zu wenig davon bekamen, hatte den Schweif seines Pferdes vor jedem Turnier mit allersüßestem Sirup getränkt.

Meine Geschichte war zu Ende. Ich erhob mich aus dem aufgerollten dicken Schiffstau, und auch Urax rekelte sich und stand auf. Nur meine Untergroßmutter blieb in dem angeknacksten Schaukelstuhl sitzen und sagte: »Das war doch gar kein richtiger Ritter, Boy, dieser Pommelot! Der war doch kein Held!«

Da erwiderte ich: »Liebe Untergroßmutter, erlaube deinem zwölfjährigen Enkel, dir zu erklären, dass Kämpfe auf Bestellung, wie Turniere, Boxkämpfe, Fußballspiele oder Segelregatten, dem geschicktesten Kämpfer den ersten Preis eintragen. Ebenso erhält ein Schuster den Preis für die besten Schuhe, ein Tischler für den besten Stuhl, ein Bäcker für das beste Brot oder ein Dichter für das beste Buch. Das hat mit Heldentum nichts zu tun. Das ist nur Handwerksqualität. Aber mitten im Ritter-Helden-Zirkus einfach zu singen und listig den Zirkus lächerlich zu machen, das ist beinahe Heldentum! Mitten im Gleichschritt ganz anders marschieren, das kann der Schritt des Helden sein!«

Meine arme Untergroßmutter verstand, das sah ich ihr an, nur die Hälfte von dem, was ich sagte. Ihre eigenen Worte bestätigten es mir. Sie seufzte: »Ihr großen Dichter macht mit euren großen Gedanken alle Leute konfus. Jetzt kann ich den schönen, kühnen Siegfried beinah nicht mehr ausstehen.«

»Aber vielleicht magst du Kartoffeln, Möhrengemüse und Frikadellen«, sagte ich listig.

Da fuhr meine Untergroßmutter plötzlich aus dem Schaukelstuhl in die Höhe und rief: »Dein Untergroßvater ist sicher längst in der Küche und hat keine Ahnung, dass seine Frau auf dem Speicher hockt und sich wegen eines Jungen mit Flausen im Kopf von ihrer Pflicht abhalten lässt! Es ist unerhört, was ihr Dichter mit uns Frauen anstellt! Deine Obergroßmutter hat schon recht.«

Sie segelte aus der Speichertür hinaus und rauschte über die Treppe nach unten.

Urax, der wohl gemerkt hatte, dass wir uns nicht ganz einig waren, zögerte ihr zu folgen und sah mich Hilfe suchend an. Da sagte ich: »Lass die Weiber ruhig für die schönen Ritter schwärmen, Urax! Wir schauen diesen falschen Helden durch den Lack. Komm, lass uns Männer genießen, was die Frauen kochen!«

Und Urax, ein alter Herr und Hund, begleitete mich ergeben und mit beinahe freundlichem Hundegesicht ins Kellergeschoss, wo wir die Kochkunst meiner Untergroßmutter ohne jede Einschränkung loben und genießen konnten.

Als ich meinem Urgroßvater am Nachmittag Gedicht und Geschichte vorlas (das Gedicht hatte ich von der Wand abgeschrieben, das Plakat mit der Geschichte mitgenommen) und als ich ihm erzählte, was die Untergroßmutter gesagt hatte, lachte er so herzlich, dass ich überzeugt war, die Untersuchung des Arztes sei günstig verlaufen. Alle Ängste, die ich gehabt hatte, waren wie weggeblasen von diesem Lachen. Und noch stärker war ich von der Harmlosigkeit der Krankheit überzeugt, als der Urgroßvater mir – diesmal in meinem Zimmer unter dem Dach – von einer Tapetenrückseite die Geschichte ablas, die er inzwischen geschrieben hatte.

»Da wir«, sagte er, »beschlossen haben, heute über lustige Helden zu sprechen, habe ich eine Clowngeschichte erfunden. Ob sie allerdings so lustig geworden ist, wie ich anfangs plante, weiß ich nicht. Willst du sie trotzdem hören?«

»Klar, Urgroßvater!«, sagte ich. Und das muss so überzeugend und gleichzeitig neugierig geklungen haben, dass er sofort die Tapetenrolle über dem Tisch ausbreitete, seine Brille aufsetzte und mir vorlas:

Die Geschichte von Pepe, dem Clown

Eines windigen Oktobertages schiffte sich eine spanische Zirkustruppe von Barcelona aus nach den Kanarischen Inseln ein, um dort ihre Kunststücke, Kostüme und Tiere vorzuführen. Alle Zirkusmitglieder waren ausgezeichneter Stimmung, außer Pepe, dem Clown, der vier volle Tage lang so mürrisch und wortkarg blieb wie ein zahnloser alter Seehund. Niemand von den Passagieren – es waren außer der sehr kleinen Zirkustruppe etwa vierzig Fahrgäste an Bord – vermutete in dem kleinen bärbeißigen Alten einen Spaßmacher von Berufs wegen.

Da die Fahrt trotz eines ständig wehenden Westwindes einigermaßen glatt ging, gab es eigentlich keinen Grund für Pepes anhaltende schlechte Laune. Aber Pepe war außerhalb der Arena sehr oft missgelaunt. Wer ständig darüber nachdenken muss, wie er die Welt zum Lachen bringt, der verlernt das Lachen, weil er dahintergückt. Die Mundwinkel des Clowns blieben vier Tage lang grimmig nach unten gezogen.

Am fünften Tage schlug der Wind um, der Himmel verdunkelte sich von einer Stunde auf die andere, das Wasser wurde gröber von Minute zu Minute, Sturm kam auf, Regenböen kündigten ein Gewitter an und das Schiff begann zu schlingern. Es wurde hochgehoben, knallte in ein Wellental, hob sich erneut, legte sich seitwärts und war plötzlich steuerlos dem Wind und den Wellen preisgegeben.

Pepe, der Clown, dem die Luft in Salon und Kabine zu stickig geworden war, klammerte sich gerade – triefend von oben bis unten – an das Holzgeländer des Steuerhauses, als er den Steuermann ins Sprachrohr schreien hörte: »Capitán, das Steuer gehorcht mir nicht mehr!«

In der Stimme des Steuermanns war solches Entsetzen, dass es

Pepe kalt über den ohnedies eiskalten Rücken rieselte. Als er noch überlegte, ob er stehen bleiben oder sich entfernen solle, stand plötzlich der Kapitän neben ihm, auch er ans Geländer geklammert. Er rief wütend: »Hinein ins Steuerhaus, Mensch! Ich kann mir jetzt keinen Mann über Bord leisten!« Dann stieß er den alten Clown vor sich her.

Pepe fühlte mit einem Male Wärme, hörte eine Tür zuknallen und fiel, als das Schiff sich hart nach Backbord neigte, mit einem schmerzhaften Plumps in eine Ecke.

Kapitän und Steuermann, die spreizbeinig vor ihm aufragten, nahmen keinerlei Notiz von ihm.

Umso aufmerksamer beobachtete Pepe die beiden Männer. Er sah den Kapitän ans Steuerruder treten, um es mit kräftigen Händen herumzureißen, er sah den Mann zurückweichen wie vor irgendetwas Unheimlichem, er sah ihn sich an einen Fensterriegel klammern und sah ihn dann das Steuerruder entsetzt anstarren: Es hatte sich so leicht bewegen lassen wie ein Spinnrad.

»Die Steueranlage muss zertrümmert sein!«, rief höchst unnötigerweise der Steuermann dem Kapitän zu.

Schwerfällig und langsam nickte der Kapitän und sagte leise, aber so, dass Pepe es von seinen Lippen ablesen konnte: »Wir können nichts tun, Steuermann, gar nichts!«

Der Steuermann, der sich am eingebauten Sextanten festhielt, rief etwas, was Pepe nur teilweise verstand. Er hörte: »Passagiere ... Panik ... Beruhigen.«

In diesem Augenblick zogen sich zum ersten Mal seit viereinhalb Tagen die Mundwinkel des Clowns nach oben. Er stemmte sich irgendwie in die Höhe, hängte sich an eine Stange, die er zu fassen bekam, und rief den zwei verdutzten Offizieren zu: »Ich gebe eine Vorstellung!«

»Was für eine Vorstellung?«, brüllte unter dem Dröhnen eines auf das Schiff stürzenden Brechers der Kapitän zurück.

»Ich bin Clown, Capitán! In zehn Minuten bin ich umgezogen.«

Der alte Mann hangelte sich aufs Deck hinaus, die Tür fiel hinter ihm wieder zu und Kapitän und Steuermann blickten einander an.

»Den hat's erwischt, Capitán!«

»Was sagten Sie? Schreien Sie lauter!«

»Ich sagte: Den hat's erwischt! Der ist schon verrückt! Jetzt kann nur noch einer Ordnung halten: der Revolver!«

»Nein!« Ebenso langsam, wie er vorher genickt hatte, schüttelte der Kapitän jetzt den Kopf. Er machte dem Steuermann ein Zeichen, ihm zu folgen.

Sich ständig an irgendetwas klammernd, verließen die beiden Männer das Steuerhaus und tasteten sich unters Deck bis in die Kapitänskajüte. Hier sagte der Kapitän: »Mit einem steuerlosen Schiff im Orkan kann man nichts machen, als Schiff, Mannschaft und Passagiere Gott zu empfehlen.

»Passagiere, die in Panik geraten, bändigt nicht einmal der liebe Gott, Capitán!«

»Das weiß ich, Steuermann. Deshalb sollten wir den Versuch mit dem Clown wagen. Vielleicht lenkt er die Leute ab.«

»Das ist Wahnsinn, Capitán!« Der Steuermann brüllte, obwohl es in der abgeschlossenen Kabine nicht unbedingt nötig war. »In der Geschichte der Seefahrt hat man Paniken immer nur mit dem Revolver bekämpft.«

»Noch«, erwiderte gelassen der Kapitän, »noch herrscht keine Panik, Steuermann. Ich nehme den Vorschlag des Alten vorerst an. Wenn der Clown uns nichts nützt, haben wir notfalls immer noch

den Revolver. Sorgen Sie dafür, dass alle Passagiere in den Salon beordert werden! Alle! Und sagen Sie, die Maschinen sollen weiterlaufen, als sei das Schiff in Fahrt!«

Der Steuermann wollte noch etwas einwenden, aber der Kapitän drehte sich so brüsk um, dass sein Untergebener nur noch »zu Befehl« murmelte und die Kajüte verließ.

Mithilfe der Mannschaft wurde der Befehl, wenn auch gegen den Willen mancher Passagiere, ausgeführt. Nur wenige wirklich kranke Fahrgäste durften in ihren Betten bleiben. Wer seekrank war, bekam eine Papiertüte in die Hand gedrückt, in die er den überschüssigen Mageninhalt zu entleeren hatte.

Man setzte die Leute im Salon, in dem die Lampen brannten, auf am Boden festgeschraubte Stühle oder ganz einfach auf den Teppich, mit dem Rücken gegen die Bordwand. Dann erschien der Kapitän im Salon und erklärte mit lauter Stimme, dass alles auf dem Schiff in bester Ordnung sei. Man müsse allerdings das Unwetter überstehen, so gut es ginge. Deshalb habe man sich entschlossen, den Passagieren zur Abwechslung und Unterhaltung eine Vorstellung zu geben.

Der Kapitän hatte im Sinn, noch eine erklärende Bemerkung hinzuzufügen, als plötzlich hinter ihm die Salontür aufsprang. Jemand Buntes kugelte vor seine Füße, umklammerte seine Beine und richtete sich breit grinsend langsam an ihm auf. Es war Pepe, der Clown, mit fachgerecht geschminktem Gesicht, Pluderhosen, schlotterndem Kittel und viel zu großen weißen Handschuhen.

Das kam für alle Passagiere, selbst für die kleine Zirkustruppe, so unerwartet, dass sie mitten im Lärm der Elemente und Maschinen mit einem Schlage loslachten. Buchstäblich eine Lachsalve dröhnte durch den Salon.

Als Pepe dann mit einem seiner langen Finger den Kapitän neckisch unter dem Kinn kitzelte, um gleich danach einen Purzelbaum rückwärts zu schlagen, da war der ganze Salon erheitert,

ermuntert und mit vergnügter Aufmerksamkeit ganz und gar bei der Sache. Selbst das eigene Hin- und Herrutschen, Kippeln und gegenseitige Stützen fanden die Passagiere plötzlich komisch.

Als Pepe sich abermals am Kapitän aufrichtete und mit einer Hand in dessen Jacketttasche plumpste, weil das Schiff sich seitwärts neigte, flüsterte sein Mitspieler ihm zu: »Machen Sie so weiter! Wenn Sie die Leute längere Zeit fesseln können, kann ich mich mit der Mannschaft um das Schiff kümmern. Bitte, helfen Sie uns!«

Pepe hängte sich wie ein verliebtes Mädchen an den Hals des Kapitäns und flüsterte zurück: »Ich will mein Bestes tun!«

Danach plumpste er wieder zu Boden und versuchte vergeblich, im schlingernden Salon einen Kopfstand zu machen. Der Kapitän stahl sich währenddessen so unauffällig wie möglich hinaus auf den Gang.

Zwei Stunden lang grinste Pepes roter Mund in weißem Rahmen, zwei Stunden lang war er als Clown besser als je zuvor, weil das Kippeln und Hinpurzeln im schwankenden Schiff die eingeübten Nummern mit dem Reiz des Zufälligen verknüpften. Die Zirkustruppe, die ihm wohl über hundert Male schon zugeschaut hatte, lachte und klatschte mit den anderen Passagieren, als sähe sie Pepe zum allerersten Male zu.

»So großartig war er im Zelt noch nie!«, rief Ramón, der Hundedresseur, und Direktor, Musiker, Seiltänzer und Trapezkünstler bestätigten, dass Pepe noch niemals so großartig gewesen sei.

Die beste Nummer, ein virtuoses Violinenstück auf einer kaum zwei Finger langen Geige, hatte Pepe sich bis zuletzt aufgespart. Die Geige hatte er klug in einer Hängelampe deponiert.

Nun, da ihm nach zweistündigem Spaßmachen die bunten Fetzen am Leibe klebten und es ihm im Kopf zu schwindeln begann, nun, da ihm langsam die Puste ausging und er am Körper mehr blaue Flecken hatte als je zuvor in seinem Leben, nun endlich beschloss er, die Geigennummer vorzuführen.

Doch wurde er zunächst daran gehindert, weil der Kapitän wieder im Salon erschien, sichtlich erstaunt darüber, die Passagiere in so heiterer Stimmung anzutreffen.

Als Pepe sich dem kräftigen Mann unter einem entzückten Aufschrei seiner Zuschauer wieder an den Hals warf, sagte der Kapitän, nur für Pepe hörbar: »Wir haben Wasser im Kahn. Meine Leute stehen an den Pumpen. Ich weiß nicht, wie lange wir es noch aushalten. Wie lange halten Sie es noch aus?«

Den erschöpften Pepe traf die schlimme Nachricht stärker, als der Kapitän ahnte. Während der Clownsmund sich nach unten bog, murmelte Pepe matt: »Ich weiß nicht, wie lange ich das noch aushalte, Capitán.«

Leider übertreibt ein gut geschminktes Clownsgesicht noch die leiseste Zuckung der Miene. So malten sich die Erschöpfung und

Enttäuschung Pepes für die Zuschauer deutlich in seiner Maske ab. Angst drohte sich auszubreiten, wo bis jetzt Heiterkeit geherrscht hatte. Wortlos hatte Pepe den Passagieren die böse Nachricht signalisiert.

Aber als Pepe merkte, dass die Zuschauer auf seine Bestürzung reagierten, reagierte der kluge alte Clown noch schneller. Er verzog die Maske zu einer weinerlichen Grimasse, hängte sich wie ein Affe mit einem Arm an den Hals des Kapitäns und plärrte heulend ins Publikum: »Er liiebt mich nicht.« Danach ließ er den Kapitän los und spielte die Nummer, die nächst dem Violinenstückchen immer wieder sein größter Erfolg war. Es war die Heul-Plärr-Wein-und-Schluchz-Nummer, bei der er in immer neuen hoffnungslosen Anläufen das Lied von der verlassenen Seemannsbraut zu singen versuchte.

Auch im hin und her geworfenen, steigenden, sich neigenden Schiff, im sich hebenden und fallenden, von Sturzwellen knallenden Salon war die verlassene Seemannsbraut wieder ein voller Erfolg. Die Passagiere lachten Tränen.

Niemand merkte, dass die komischen Tränen des Clowns langsam zu echten Tränen der Ermattung wurden. Die Tränen für das Publikum waren salzig und heiß, wie es nur wirkliche Tränen sind. Pepe war am Ende seiner Kräfte.

Aber der alte Spaßmacher war zugleich zäh und erfahren im Umgang mit Zuschauern. Er wusste, dass nach den Ausbrüchen brüllenden Gelächters den Leuten eine kleine Lächelnummer guttut, etwas Sinniges, Liebes zum Auspendeln und Ausruhen. Und zu einer solchen Nummer fühlte Pepe sich noch imstande. Er hängte sich also an die Lampe und holte, verschämt wie ein errötendes Mädchen, die Geige aus der Lampenschale. Dann wurstelte er das rechte Bein durch eine Stuhllehne, um einen festen Stand zu haben, und ließ in das Tosen ringsum ein paar hohe Geigentöne flattern, eine halbe Melodie. Kleine Tauben im Wind.

Wieder hatte Pepe seine Zuschauer in der Hand. Fast eine Stunde lang fesselte er sie an seine Geige, an ein Spielzeugding, ein Nichts von Instrument.

In dieser Stunde allerdings, in der der Clown süß und zärtlich oder wild und leidenschaftlich geigte, in dieser Stunde, in der ein Viertel der Schiffsbesatzung keuchend an den Pumpen stand, in dieser Stunde, die das Schicksal des Schiffes hätte besiegeln können, ließ das Unwetter langsam nach. Auch kam von Teneriffa ein Rettungsboot des Seenotdienstes, der die Hilferufe des Schiffstelegrafen aufgefangen hatte. Es konnte trotz des immer noch wütenden Wassers längsseits an Steuerbord festmachen.

Pepe setzte gerade zu seiner großen virtuosen Nummer an, als der Kapitän wieder in den Salon kam. Er wollte eine Mitteilung

machen, unterließ es aber zunächst angesichts der stumm und hingerissen lauschenden Leute und angesichts des Clowns, der aus einem Nichts von Geige rasende Läufe herausholte. Als der Steuermann, die linke Hand auf der Pistolentasche, dem Kapitän folgen wollte, drückte er ihn durch die halb offene Salontür zurück in den Gang.

Erst als Pepe mit einem virtuosen Doppelgriff sein Konzert beendete und sich verbeugte, erst als die Passagiere klatschten und »da capo« riefen, ging der Kapitän zu dem Clown und sagte ihm ins Ohr: »Das Rettungsboot ist da!«

Pepes Mundwinkel zogen sich bei dieser Nachricht derart in die Höhe und Breite, dass sie beinahe die Ohren berührten. Dann aber fielen ihm plötzlich baumelnd die Arme herunter, eine winzige Geige und ein winziger Bogen purzelten auf den Teppich und Pepe sank dem Kapitän, der ihn erschrocken bei den Schultern packte, ohnmächtig an die Brust. Der große rote Mund im weißen Gesicht grinste dabei immer noch.

Jetzt wurden die Passagiere zum ersten Mal unruhig. Einzelne schrien auf, andere versuchten, sich auf dem schwankenden Boden aufzurichten. Jetzt kam auch der Steuermann entschlossenen Gesichts in den Salon, um notfalls mit Gewalt Ruhe und Ordnung herzustellen. Aber der Kapitän bedeutete ihm, jetzt gäbe es für eine Panik keinen Grund mehr. Das Unwetter zog ab, das Rettungsboot lag längsseits.

Ruhig, beinahe heiter, sagte der Kapitän zu den Passagieren: »Bleiben Sie einstweilen auf Ihren Plätzen! Es ist eine gute Nachricht, die unseren Freund Pepe ohnmächtig werden ließ.«

Dann übergab er den leblosen Clown zwei Matrosen und fuhr fort: »Unser Schiff, meine Damen und Herren, kann bei diesem Seegang leider nicht den Hafen anlaufen. Es ist deshalb ein Boot von Santa Cruz gekommen, das Sie nacheinander an Land bringen wird. Ich bitte die Passagiere der Kabinen eins bis fünfzehn, sich als Erste für die Überfahrt fertig zu machen!«

Ohne besondere Aufregung wurden sämtliche Fahrgäste und danach die Mannschaft an Land gebracht. Am nächsten Tag, der ruhig und sonnig war, holte ein Schleppdampfer das havarierte Schiff in den Hafen von Santa Cruz. Dort stellte sich heraus, dass ein im Meer treibender schwerer Gegenstand, wahrscheinlich ein Baumstamm, von einer Woge gegen die Schiffsschraube geschleudert worden war und nicht nur deren Flügel, sondern auch die zur Schraube führende Achse im Schiffsinneren zertrümmert hatte.

Erst an diesem Tage, als der Dampfer eingeschleppt wurde, erfuhren die Passagiere, in welcher Gefahr sie sich befunden hatten. Sie erfuhren es aus derselben Zeitung, die für den Nachmittag eine Vorstellung des Zirkus mit dem berühmten Clown Pepe ankündigte.

Natürlich war das Zirkuszelt gerammelt voll von Neugierigen, die diesen Clown sehen wollten. Aber auch alle Passagiere des Dampfers waren versammelt, als Pepe mit Hochrufen und donnerndem Applaus empfangen wurde. Es lief ihnen eine verspätete Gänsehaut über den Rücken, als der Clown, fachgerecht geschminkt, mit Pluderhosen, schlotterndem Kittel und viel zu großen weißen Hand-

schuhen erschien und auf einer kaum zwei Finger langen Geige rasende Läufe zu spielen begann.

Als mein Urgroßvater die Tapete wieder einrollte, von der er die Geschichte abgelesen hatte, muss ich wohl hörbar ausgeatmet haben, denn der große Boy fragte verwundert: »Warum schnaufst du so?«

»Weil die Geschichte so aufregend war, Urgroßvater«, sagte ich. »Eigentlich war sie auch gar nicht lustig.«

»Das habe ich dir vorher gesagt, Boy! Ich wollte über einen Spaßmacher eine spaßige Geschichte schreiben, aber unter der Hand ist sie mir zu einem ernsthaften kleinen Heldenepos geraten.«

»Was macht Pepe eigentlich zum Helden, Urgroßvater? Ich merke wohl, dass er einer ist, aber ich kann nicht erklären, warum.«

»Ich glaube, Boy, dass vieles zusammenkommt bei diesem alten Spaßmacher: sein Mut zu dieser Vorstellung, deren Erfolg ja zunächst ungewiss war, seine Zähigkeit, auch in scheinbar aussichtsloser Lage weiterzumachen, und sein Durchhalten trotz großer Erschöpfung. Pepe hat eigentlich ein Wunder vollbracht, als er die Leute nicht nur von entsetzlichen Taten abgehalten, sondern sie auch noch zum Lachen gebracht hat. Er war nicht nur ein Clown, Boy, sondern auch ein Medizinmann, ein Zauberer mit Menschen, die er retten wollte. Pepe war unter der Maske des Gelächters ernsthaft ein Held.«

Mein Urgroßvater dachte einen Augenblick nach und fügte dann lächelnd hinzu: »Er war sogar ein sogenannter Held der Arbeit, Boy.«

»Wieso das, Urgroßvater?«

»Weil er seine Nummern im Salon so gut machte, dass er die Leute ablenkte von der lebensgefährlichen Lage, in der sie sich befanden. Dabei fällt mir ein, Boy, dass Herkules auch einmal ein Held der Arbeit gewesen ist.«

»Wann war er denn das?«

»Als er für König Augias den Stallknecht spielte. Es ist übrigens ein ganz lustiges Abenteuer. Deshalb passt es zu unserem Thema. Wo ist denn …?« Der Alte sah sich suchend um. »Wo ist denn das schwarze Wachstuchheft?«

»Drüben in deinem Zimmer, Urgroßvater!«

»Nein, Boy, von dort habe ich er heute Morgen herübergeholt. Es muss hier sein!«

Aber soviel wir auch suchten, das Heft war nicht zu finden.

Schließlich fiel dem Urgroßvater ein, dass die Obergroßmutter hier oben im Speicherzimmer gewesen war.

»Ob sie vielleicht …?« Er beendete die Frage nicht; aber ich wusste, was er meinte. So sagte ich, dass ich sie fragen werde, und kletterte hinunter in den ersten Stock.

Vor der Tür zu meinem Schlafzimmer zögerte ich, weil ich es drinnen kichern hörte.

Ich wusste sofort, wer da kicherte. Deshalb rief ich: »Obergroßmutter, wir suchen ein schwarzes Wachstuchheft. Hast du es irgendwo gesehen?«

»Augenblick!«, kam es barsch von innen. »Die Tür ist verstellt. Ich muss sie erst frei machen.« Dann hörte ich Papierrascheln.

Dass Möbelstücke zur Seite gerückt würden, war allerdings nicht zu hören.

Als ich endlich eintreten durfte, um das Wachstuchheft zu suchen, sah ich auf den ersten Blick, dass unter meinem Bett eine Tapetenrolle lag. Aber ich ließ mir nicht anmerken, dass ich sie gesehen hatte.

Ich hielt nach dem schwarzen Heft Umschau, sah es auf meinem Nachttisch liegen und sagte: »Da ist es ja!«

»Dann nimm es mit und stör mich nicht bei der Arbeit!«, brummte die Obergroßmutter. Also ergriff ich das Heft und hinkte damit rasch wieder auf den Speicher.

Hier oben entdeckte ich, dass fremde Hände sich an den Tapetenrollen zu schaffen gemacht hatten; denn sie lagen anders, als ich selbst sie hingelegt hatte.

Als ich dem Urgroßvater von meiner Entdeckung berichtete, schmunzelte er und sagte: »Ich weiß seit gestern, dass die Obergroßmutter unsere neuesten Werke liest. Vor zwei Jahren hat sie auch heimlich unsere Gedichte gelesen, wie du dich erinnern wirst. Sie ist eben doch meine Tochter. Aber nun gib das Heft her, damit ich dir Herkules als Helden der Arbeit vorstellen kann.«

Ich gab es ihm, und mein Urgroßvater las:

Die Ballade von Herkules und dem Augiasstall

Herr Herkules, der große Held,
Man kennt ihn aus der Sage,
Der hat die angsterfüllte Welt
Befreit von mancher Plage.

Doch wurde es ein heikler Fall,
Als ihn ein Potentat
Den allergrößten Rinderstall
Von Mist zu säubern bat.

Augias, der ihn kommen ließ,
War der berühmte König.
Das grüne Land, das Elis hieß,
Das war ihm untertänig.

Er wohnte dort im Königsschloss
Mit seinen vielen Kindern
Und hatte Herden, riesengroß,
Von wohlgenährten Rindern.

Der Stall, in dem das Rindvieh stand,
War eine Riesenplage:
Von einer Wand zur andern Wand
Ging man sechs volle Tage.

Und wenn ein Stall so riesig ist,
Ist Putzen ausgeschlossen.
Drum war im Stall der Rindermist
Sechs Meter aufgeschossen.

Augias sprach zum Herkules:
»Schaff mir den Mist hinaus!
Und zwingst du es und schaffst du es,
Zahl ich dich fürstlich aus!«

Das war – beim Zeus – ein schwerer Fall.
Doch war der Held gerüstet:
An einem Tag hat er den Stall
Vom Mist mit List entmistet.

Den Fluss Alphaios, der durchs Feld
Mit starken Wassern gleitet,
Dem hat er seinen Weg verstellt
Und ihn zum Stall geleitet.

Da hat der Fluss in Zorn und Wut,
In seiner Bahn gehemmt,
Mit all der wilden Wasserflut
Den Mist hinausgeschwemmt.

Da jauchzten fröhlich überall
Die Großen wie die Kinder,
Und blökend zogen in den Stall
Die dreißigtausend Rinder.

So konnte Herkules, der Held
(So nennt man ihn auf Erden),
Als allererster Mann der Welt
Ein Held der Arbeit werden.

Ich lachte laut nach dieser Ballade und mein Urgroßvater sagte: »Lach nur, Boy! Es klingt wirklich ein bisschen komisch, wenn man zum Helden gemacht wird, weil man einen Stall entmistet hat. Aber der außergewöhnliche Mann, der etwas anpackt und schafft, das allen anderen ein unlösbares Problem scheint, der hat das Zeug zum Helden. Und wer das Zeug zum Helden hat, der zeigt es bei den komischsten Gelegenheiten, auch beim Säubern eines Stalles. Aber ich glaube, es ist Zeit zum Abendessen, obwohl ich überhaupt noch keinen Hunger habe.«

Nach einem Blick auf meine Armbanduhr sagte ich, wir hätten noch genügend Zeit, um zwei Tapetengedichte zu verfassen.

»Fein«, sagte mein Urgroßvater. »Dichten wir also. Wir können die Gelegenheit übrigens dazu benutzen, eine Art von Spaß ... Nein«, verbesserte er sich, »eine Art von Humor vorzuführen, die wir ganz vergessen haben: den Galgenhumor. Oft genug ist das der Humor des Helden.«

»Dann dichte ich das Galgenlied von einem Räuber!«, rief ich.

»Ob Räuber jemals Helden sind, ist eine große Frage, Boy. Aber einverstanden: Schildere du den Galgenhumor eines Räubers. Ich denke mir ein anderes Galgenlied aus.«

Da holte ich eine unbeschriebene Tapetenrolle ins Zimmer, und wir beschrieben die Rückseite wieder gemeinsam.

Erstaunlich bald hatten wir beide unser Pensum geschafft, denn wir waren an diesem Nachmittag wie aufgedreht. Wahrscheinlich hing das mit dem Arztbesuch zusammen. Nachdem der Doktor gegangen war und die Spannung sich sozusagen in nichts aufgelöst hatte, waren wir in Spiellaune.

Als Erster durfte ich mein Galgenlied vorlesen. Ich tat es mit

Vergnügen. Theatralisch wie ein Jahrmarktschreier las ich von der Tapete ab:

Das Galgenlied eines Räubers

Ihr lieben Leute, kommt und feiert heute!
Gut ist das Wetter und der Eintritt frei.
Mich, einen Räuber, reich an Kraft und Beute,
Hängt man heut auf. Und ihr seid mit dabei.
Vor allem Volk, ihr Damen und ihr Herrn,
Hängt man den Räuber. Und so hängt er gern.

Ich war geschickt im Rauben und im Plündern,
Bekannt, berühmt, berüchtigt und gehasst.
Jetzt wird mir so wie allen großen Sündern
Der letzte Schlips vom Henker angepasst.
Vor allem Volk, ihr Damen und ihr Herrn,
Straft man den Räuber. Und so hat er's gern.

Jeden von euch hab ich vielleicht bestohlen.
Wir rechnen ab. Ihr gebt mir meinen Lohn.
Und wünscht ihr nun, mich mög der Henker holen,
Dann seid getrost: Der Henker wartet schon.
Vor allem Volk, ihr Damen und ihr Herrn,
Lohnt man's dem Räuber. Und so hat er's gern.

Es war ein Fest, als Räubersmann zu leben.
Ich lebte frei. Ich tat, was mir gefällt.
Jetzt will ich euch ein letztes Schauspiel geben:
Wie Räuber sterben, zeige ich der Welt.
Vor allem Volk, ihr Damen und ihr Herrn,
Sterb ich als Räuber. Und so sterb ich gern!

Als ich die letzte Zeile räuberwild und räuberstolz ins kleine Speicherzimmer gebrüllt hatte, sagte mein Urgroßvater: »Hm, ja.« Danach schwieg er. Erst nach einer Weile fügte er, betont leise, hinzu: »Diese raue Art von Galgenhumor macht Eindruck, Boy. Unzählige Bücher verherrlichen dieses scheinbare Heldentum der Räuber. Tatsächlich scheint es so, als stürbe dein Räuber heldenhaft. Aber du musst bedenken: Wer als Räuber lebt, spielt immer mit dem Leben. Das ist der Einsatz in seinem Spiel. Er rechnet täglich mit dem Tod. Kommt er dann wirklich, hat er ihn erwartet. Das Spiel ist aus. Er stirbt als Spieler, nicht als Held.«

»Aber erfordert es nicht große Überwindung, unter dem Galgen noch lustig zu sein, Urgroßvater?«

»Kommt darauf an, was einem das Leben wert ist, Boy. Wem das Leben anderer nichts gilt wie manchem Räuber, dem gilt auch das eigene Leben nichts. Der Bauer in meinem Gedicht hat sich zu seinem trotzigen Galgenlied viel stärker überwinden müssen als dein Räuber zu seinem Ich-streck-der-Welt-die-Zunge-raus-Gesang.«

»Was für ein Bauer ist das, Urgroßvater?«

»Ein leibeigener Bauer aus alter Zeit, der sich zu Recht gegen seine Herren aufgelehnt hat. Ich lasse ihn unter dem Galgen ein Lied an seine Unterdrücker singen. Hör's dir an.«

Der Urgroßvater setzte die Brille, mit der er während unserer Unterhaltung gespielt hatte, wieder auf und las mir vor:

Das Galgenlied eines leibeigenen Bauern

Ihr wollt mich hängen, werte Herrn.
Stör ich euch hier auf Erden?
Nun denn, ihr Herrn, ich sterbe gern,
Wenn Herren Gauner werden!

Ihr gönnt mir eine Gnadenfrist,
Um noch ein Lied zu singen.
Solang noch Atem in mir ist,
Soll's euch im Ohre klingen.

Ihr Herren, lieber bin ich tot
Und häng an dieser Stelle,
Als dass ich für ein Stückchen Brot
Euch euer Feld bestelle.

Die Weisheit, wie man fröhlich stirbt,
Die will ich euch vererben;
Denn wer nur schachert und erwirbt,
Lernt nie das frohe Sterben.

Genießt nur, was ihr schwer errafft!
Mögt ihr um Gold euch balgen!
Ich sing: Leb wohl, Leibeigenschaft!
Willkommen, Tod und Galgen!

Ehe ich meinem Urgroßvater erklären konnte, dass ich diesen Bauern für einen echten und rechten Helden hielte, sagte der Alte: »Man muss Heldentaten immer nach der Zeit und den Umständen beurteilen, die sie hervorgebracht haben. In der Zeit dieses Bauern zum Beispiel ist mancher rebellische Bauer vor dem Galgen bewahrt worden, weil er im Angesicht des Todes vor seinem Herrn Abbitte geleistet hat. Meinem Bauern waren Recht und Freiheit mehr wert als ein kümmerliches Leben in der Fron. Wahrscheinlich hinterließ er Frau und Kinder. Dennoch bat er nicht um Gnade, sondern nannte Unrecht Unrecht und starb dafür. Das ist das Lied eines Helden. Und das ist ein Galgenhumor, der bitter ist wie Galle. Die Herren dürften schwerlich darüber gelacht haben.«

»Gehört denn zum Galgenhumor überhaupt das Lachen, Urgroßvater?«

»Jedenfalls eine bestimmte Art von Lachen, Boy, ein Lachen, das frei macht und die Fesseln der Furcht sprengt. Es gibt sogar Fälle, bei denen dieses Lachen ansteckt und den Galgenhumoristen vor dem Strick bewahrt. Meine Ballade von der Gans und dem Fuchs zeigt es, obwohl darin, nebenbei bemerkt, überhaupt kein Galgen vorkommt.«

»Kenne ich das Gedicht, Urgroßvater?«

»Ich habe es dir vor ein paar Jahren einmal aufgesagt, Boy. Da es so schön zum Thema passt, kann ich es heute ja noch einmal tun.«

An der Brille rückend, dachte mein Urgroßvater kurze Zeit nach und sagte mir dann auf:

Die Ballade von der klugen Gans

Als die Gans gefangen war,
Sprach der Fuchs ganz leise:
»Liebes Gänschen, ist dir klar,
Dass ich dich verspeise?«

»Selbstverständlich, lieber Fuchs,
Wirst du mich verzehren,
Und ich kann mit keinem Mucks
Mich dagegen wehren.

Nun, es trifft halt, wen es trifft!
Doch ich sag dir ehrlich:
Alle Gänse haben Gift,
Und das ist gefährlich!

Es sitzt immer anderswo,
Einmal in der Zunge,
Einmal sitzt es im Popo,
Einmal in der Lunge.

Darum sieh dich vor, Herr Fuchs!
Wen es trifft, den trifft es!
Kommt ein Gänschen, dann beguck's
Wegen dieses Giftes.

Wer es schluckt, geht elend ein.
Qualvoll muss er sterben.

Zuckt es ihm im rechten Bein,
Muss er bald verderben.

Hab zum Beispiel ich im Hals
Dieses Giftzeug sitzen,
Wirst du Armer jedenfalls
Bald in Qualen schwitzen.

Zuckt dein rechtes Bein nicht schon?
Fühlst du nicht schon Fieber?
Nun, das hättest du als Lohn
Wohl verdient, mein Lieber!«

Plötzlich scheint dem Fuchs, es zuckt
Ihm im rechten Beine.
Und sein Fell wird heiß und juckt
So von ganz alleine.

Hab ich, denkt er, Gift im Bauch?
Dann … (Der Fuchs muss schnaufen.)
… lass ich gegen jeden Brauch
Dieses Gänschen laufen!

Und er lässt sie los, die Gans.
Die sogleich entschwindet
Und mit stolz gespreiztem Schwanz
Laut von fern verkündet:

»Niemals steckt in Gänsen Gift.
Das war glatt gelogen.
Nun, es trifft halt, wen es trifft!
Fuchs, du bist betrogen!«

Ich lachte nach dem Gedicht, sagte aber, ich fände eigentlich nicht, dass die Gans eine Heldin gewesen sei. Sie habe nur ihr Leben retten wollen. Weiter nichts.

»Oho, Boy«, rief mein Urgroßvater, »das ist es ja, was den Galgenhumor ausmacht! Wen Todesangst ermuntert und nicht lähmt, wer vor Angst nicht stumm, sondern redselig wird, der hat Galgenhumor. Und obendrein das Zeug zum Helden. Es wächst überhaupt viel Heldentum an der Grenze zwischen Leben und Tod. Nur wer da stark oder geistesgegenwärtig bleibt, überlebt. Wie etwa das Ferkel mit der Armbanduhr in dem alten Scherzlied.«

»Das Lied kenne ich gar nicht, Urgroßvater.«

»Ah, richtig, richtig!«, rief der große Boy. »Du kannst es ja nicht kennen. Es wurde zu der Zeit gesungen, als die ersten Armbanduhren auf den Markt kamen. Damals war es sehr populär, inzwischen ist es vergessen. Ich meinerseits vergesse manchmal, dass du fünfundsiebzig Jahre jünger bist als ich.«

»Darf ich das Lied hören, Urgroßvater?«

»Ich will versuchen, es zu singen, Boy!«

Mein Urgroßvater hustete sich die alte Kehle sauber und sang dann tatsächlich das Lied:

Das Ferkel mit der Armbanduhr

Ein Ferkel hatte, denkt euch nur,
Denkt euch nur, denkt euch nur,
Am Beinchen eine Armbanduhr,
Die wirklich ging und tickte,
Sodass es mit der Armbanduhr,
Armbanduhr, Armbanduhr
Sogar hinaus zum Schlachthaus fuhr
Und ständig darauf blickte.

Das Ferkel sagte unentwegt,
Unentwegt, unentwegt:
»Und wenn mein letztes Stündlein schlägt,
Will ich die Stunde wissen.
Es soll darum die Armbanduhr,
Armbanduhr, Armbanduhr
Begleiten meine Lebensspur.
Ich möchte sie nicht missen.«

Doch als das Tier zum Schlachthaus fuhr,
Schlachthaus fuhr, Schlachthaus fuhr,
Da sah man dort die Armbanduhr,
Und alle Leute lachten.
Man sagte: »Mit der Uhr am Bein,
Uhr am Bein, Uhr am Bein
Kann das kein echtes Ferkel sein.
Wir werden es nicht schlachten!«

Das Ferkel wurde, denkt euch nur,
Denkt euch nur, denkt euch nur,
Gerettet durch die Armbanduhr!
Noch heute lebt es heiter.
Und immer tickt die Armbanduhr,
Armbanduhr, Armbanduhr
Beständig und in einer Tour
An seinem Beinchen weiter.

Die Wiederholungen des Liedes, die wohl für einen Chor gedacht waren, hatte ich von der zweiten Strophe an mitgesungen, sodass es trotz der etwas dünnen Stimme meines Urgroßvaters ein hübscher Gesang geworden war. Jetzt klatschte ich gewaltig in die Hände, und plötzlich klatschte von der Tür jemand mit.

Als unsere Köpfe erstaunt herumfuhren, trat die Obergroßmutter ein und sagte: »Das Lied kenne ich auch. Hübsch hast du es gesungen, Vater! Du bist jünger, als ich dachte.« Dann fügte sie hinzu: »Mit Helden hat das Lied hoffentlich nichts zu tun.«

»Aber ja doch, Margaretha!«, rief der alte Boy. »Natürlich hat es mit Helden zu tun! Wer so unrettbar verloren ist wie ein Ferkel im Schlachthaus und dabei noch Galgenhumor entwickelt, der hat das Herz auf dem rechten Fleck. Mit dem Herzen auf dem rechten Fleck aber ist schon manches Heldenstück geliefert worden.«

Mehr wurde an diesem Abend über Helden nicht gesprochen, weil wir zwei Heldenforscher ganz unheldenhaft hinunter an die vollen Schüsseln hinkten.

Doch beim Hinunterklettern auf der Stiege, bei dem der Urgroßvater sich schwer auf mich stützte, fügte er noch, halb für sich selbst, hinzu: »Im Kern scheinen Heldentaten ernsthaft zu sein. Galgenhumor ist ja nur umgekippte Angst. Das Lachen, das Ventile öffnet, kommt erst hinterher. Wenn alles überstanden ist. Oder wenn man die Heldentat erzählt. Dann wird der angestaute Druck befreit: im Lachen.«

Beim Abendessen war die Obergroßmutter so ungewöhnlich nett und aufmerksam zum Urgroßvater, dass mir erst jetzt wieder der Arztbesuch einfiel, den man mir verheimlicht hatte.

Erst später im Bett fiel mir ein, dass der Urgroßvater heute wahrscheinlich deshalb so lustige Verse und Geschichten vorgetragen hatte, weil er mir verbergen wollte, wie ernst es in Wirklichkeit um ihn stand. Ich betete, ganz gegen meine Gewohnheit: »Lieber Gott, du tust ja doch, was du willst, aber erhalte mir den Urgroßvater, wenn es möglich ist, noch ein paar Jahre. Amen.«

Der Donnerstag, an dem meine Ferse operiert wird. Handelt von Tyrannen und ihren Untertanen und von politischen Eiern, zeigt einen Helden in doppelter Beleuchtung, schildert, was ein sogenanntes Hundeleben ist, lässt einen Bären von Ameisen bekrabbeln und schließt mit dem längst fälligen Lob auf die Obergroßmutter.

Der Donnerstag

Es roch lecker im Haus, als ich am Donnerstagmorgen erwachte. Offenbar fing die Obergroßmutter in diesem Jahr schon früh mit der Weihnachtsbäckerei an. Der Geruch frischer Anisplätzchen kitzelte mir die Nase. So stand ich rasch auf in der Hoffnung, beim Frühstück das Gebäck schon probieren zu dürfen.

Die Hoffnung trog mich nicht. Zum Kakao und den Butterbrötchen gab es auch Anisplätzchen, die mein Urgroßvater und ich behaglich knusperten.

Leider wurde unser Frühstück durch einen Besuch vorzeitig beendet. Der Arzt erschien und mein Herz begann wieder ängstlich zu klopfen, als ich ihn sah. Aber diesmal untersuchte er den alten Boy nur flüchtig, denn er war hauptsächlich meiner Ferse wegen gekommen. Er ließ sie sich zeigen und gab der Obergroßmutter sogleich Anweisungen, heißes Seifenwasser herzurichten.

Als das geschehen war, wurde der kranke Fuß gebadet und eingeweicht. Dann nahm der Arzt in der Küche eine kleine Operation vor. Er schnitt die Schwellung an der Ferse sternförmig auf und drückte den Eiter heraus. Hernach wurde die Wunde dick mit schwarzer Salbe bestrichen und der Fuß mit einer Mullbinde umwickelt.

»So«, sagte der Arzt dann mit munterer Stimme. »Jetzt ist der Dreck raus und die Wunde muss nur noch abheilen. Leg dich eine Stunde hin, Boy.« Mein Urgroßvater, der in der Küche von der Eckbank aus die Prozedur beobachtet hatte, empfahl mir, mich im Wohnzimmer aufs Sofa zu legen und mir zur Ablenkung eines der vielen Alben anzusehen, die die Seeleute stapelweise ins Haus brachten.

»Ich schlepp mich inzwischen nach oben, Boy«, fügte er hinzu. »Wenn der Schmerz vorbei ist, kannst du ja nachkommen. Einstweilen ruh dich aus.«

Ohne Widerrede folgte ich seiner Anweisung, denn in meiner Ferse pochte, klopfte, zog und zerrte es, als würde mein Körper vom Fuß aus regiert. Selbst meine Gedanken wurden von dem Schmerz in der Ferse angesogen. Ich war froh, als ich – den umwickelten Fuß auf vier Kissen gebettet – endlich auf dem Sofa lag.

Zum Glück ist kein Schmerz ewig. Nach einer halben Stunde schon hüpften meine Gedanken fort aus dem Bannkreis der Ferse und flogen hinaus in die Welt zu steinernen Königen, Feldherren, Erfindern und anderen berühmten Leuten. Ich beguckte mir nämlich ein Album, das unsere Seeleute von ihrer letzten Reise mitgebracht hatten. Es hieß: »Monumenta mundi oder Die berühmtesten Denkmäler der Welt«. In diesem Album waren mehr als zweihundert Denkmäler abgebildet und unter jedem Bild wurde ausführlich erklärt, wen das Denkmal darstellte und aus welchem Grunde man diese Person in Stein oder Bronze verewigt hatte.

Mir gefiel zwischen all den großen Herren besonders ein kleines Mädchen, dem man auf dem Marktplatz des Städtchens Hartestolt ein Denkmal gesetzt hatte. Ich beschloss, aus ihrer Geschichte eine Ballade zu machen, und reimte sie auch tatsächlich auf den Albumseiten, da um die Bilder der Denkmäler herum viel freier Raum zum Schreiben war.

Die fertige Ballade machte mich so munter, dass ich das Sofa verließ und mit dem Album unter dem Arm Schritt für Schritt und Stufe für Stufe hinaufhinkte auf den Speicher.

Zum Glück hörte die Obergroßmutter mich erst, als ich schon fast oben war. Sie rief mir nach: »Willst du unbedingt eine neue

Entzündung bekommen? Kannst du nicht auf den Rat von erwachsenen Menschen hören? Liegen sollst du, hat der Doktor gesagt! Ru-hen! Und nicht Klettertouren unter das Dach machen!«

»Ich leg mich oben sofort wieder hin, Obergroßmutter!«, rief ich zurück. »Der Urgroßvater passt schon auf mich auf.«

»Der kann ja nicht einmal auf sich selber aufpassen!«, schallte es herauf. »Aber sei nur ruhig ungehorsam und unvorsichtig, du wirst schon sehen, wohin das führt!«

Unten knallte eine Tür zu und oben auf dem Speicher öffnete sich eine Tür. Der Urgroßvater, der neugierig den Kopf herausstreckte, fragte: »Was zetert sie denn schon wieder?«

»Sie sagt, ich soll liegen und nicht klettern, Urgroßvater.«

»Womit sie recht hat, Boy! Leg dich gleich wieder hin, ich lese dir zur Unterhaltung etwas vor.«

An diesem Tage war mein Nordzimmer wieder geheizt. Die Obergroßmutter, eine Frau mit Grundsätzen, richtete immer hübsch abwechselnd Süd- und Nordzimmer für uns Dichter her.

Im Nordzimmer gab es zum Glück genügend Kissen, um mein Bein hochzulegen. In kurzer Zeit lag ich wieder, wie es der Arzt angeordnet hatte, und zeigte meinem Urgroßvater das Album, ihm erklärend, dass es voll ungeschriebener Balladen sei.

»Vielleicht«, meinte ich, »finden wir darin eine ganze Menge Helden.«

»Möglich, Boy«, sagte der Alte. »Vielleicht können wir uns morgen lauter Denkmalballaden und Denkmalgeschichten ausdenken. Das ist sicherlich lustig und lehrreich; aber dergleichen lässt sich nicht einfach flott aus dem Album schütteln. Ich muss das Buch vorher ein bisschen durchblättern. Hör dir jetzt eine neue Ballade von Herkules an. Oder schmerzt der Fuß noch sehr?«

»Nein, Urgroßvater. Er tickt nur. Wie eine alte Pendeluhr.«

»Das macht die Salbe, Boy. Ein gutes Zeichen. Ich hoffe im Übrigen, dass Herkules dich vom Ticken in der Ferse ablenkt.«

Er blätterte, während er sprach, schon in dem schwarzen Wachstuchheft, das er jetzt aufschlug.

»Hier ist das Abenteuer, das ich meine«, sagte er, rückte an seiner Brille und las:

Die Ballade von Herkules und den Feuerrossen

Herr Herkules, der große Held,
Man kennt ihn aus der Sage,
Der hat die angsterfüllte Welt
Befreit von mancher Plage.

Einst war in Thrazien große Not;
Denn in des Königs Schlosse,
Da bissen jeden Fremden tot
Des Königs wilde Rosse.

Sie hatten Zähne, spitz und scharf,
Und Feuer auf den Lippen.
Herr Diomedes selber warf
Die Fremden in die Krippen.

Wer je zu Gast nach Thrazien kam,
Verscholl nach einer Weile,
Weil er ein blutig Ende nahm
Im Feuermaul der Gäule.

Als Herkules davon gehört,
Da tobte er nicht wenig.
Mit seiner Keule wohl bewehrt,
Ging er hinein zum König.

Er riss ihm barsch die Krone ab.
Zwar zeterten die Diener,
Doch dann, vor Furcht gelähmt und schlapp,
Entflohen sie wie Hühner.

Als draußen war der Dienerschwarm,
Nahm Herkules entschlossen
Den König unter einen Arm
Und trug ihn zu den Rossen.

Er schnaubte: »Lump von Potentat,
Du hast, wie alle wissen,
Fast jeden, der um Gastrecht bat,
Den Rossen vorgeschmissen.

Wer solcherart das Gastrecht hält
Und Recht in Unrecht wandelt,
Verdient, dass die empörte Welt
Ihn ebenso behandelt!«

Er schmiss den König in den Stall,
Weil er das Recht geschändet,
Schloss zu das Tor mit lautem Knall
Und hat sich abgewendet.

Als er nach einer Weile dann
Gewagt, hineinzugehen,
War von dem blutigen Tyrann
Kein Härchen mehr zu sehen.

Doch als er zu den Rossen kam,
Da zeigte sich ein jedes
Lammfromm und freundlich, sanft und zahm,
Denn tot war Diomedes.

Die stolzen Nacken bogen sie,
Um einen Zaum zu tragen,
Und gern und willig zogen sie
Herrn Herkules im Wagen.

Acht Tage, blau und sommerfroh,
Ließ er die Rosse traben.
Auch durften sie an Heu und Stroh
Anstatt an Blut sich laben.

Seitdem führt dieser kühne Mann
(Man soll sein Lob nicht kürzen)
Den langen Zug der Helden an,
Die die Tyrannen stürzen.

Mein Urgroßvater klappte das Heft zu, warf es vom Rollstuhl aus auf die Kommode und sagte nachdenklich: »Es ist eigentlich merkwürdig, dass ich diese Tat des Herkules billige, obwohl es ein Mord war.«

»Dieser Mord hat andere Morde verhindert!«, rief ich aus. »Tyrannenmord ist meistens eine gute Tat. Und immer eine Heldentat.«

»Das unterschreibe ich nicht ohne Weiteres, Boy. Man kann es unterschiedlich beurteilen; denn es gibt unterschiedliche Tyrannen.«

»Was unterscheidet solche Leuteschinder schon voneinander, Urgroßvater?«

»Zum Beispiel die Zeit, in der sie leben. Zur Zeit des Herkules war ein Tyrann einfach brutal. Er ließ Leute umbringen, die ihm nicht passten, und alle Welt fand es gerecht, wenn er selber eines Tages umgebracht wurde. Man duckte sich vor dem Tyrannen, weil er Macht besaß; aber jedermann wusste, dass der Kerl im Unrecht war. Heute gehen die Tyrannen feiner vor. Sie beschaffen sich einen Freibrief für jeden Mord.«

»Das verstehe ich nicht, Urgroßvater«, sagte ich.

»Nun, Boy, stell dir einen Tyrannen vor, der Leute mit Sommersprossen nicht ausstehen kann. Der kann sie nicht mehr einfach umbringen lassen, wie es frühere Tyrannen getan hätten. Er besticht vielmehr mit viel Geld einen Professor, der wissenschaftlich beweisen muss, dass Leute mit Sommersprossen einen schlechten Charakter haben. Dann wird eine Lehre daraus gemacht, die Lehre von der reinen und der unreinen Haut. Aus der Lehre wird ein Gesetz zum Schutz der reinen Häute. Und dieses Gesetz gebiert blutige Urteile, die alle Untertanen mit Sommersprossen dem Henker überliefern.«

»Das ist ja ekelhaft, Urgroßvater! Das finde ich viel schlimmer als die Tyrannensitten zur Zeit des Herkules.«

»Das ist auch schlimmer, Boy, weil es Unrecht als Recht kostümiert, Willkür als Gesetzlichkeit. Das vergiftet den Geist. Mir kommt da eine Geschichte in den Sinn, in der ein Tyrann mit halber Macht, ein Bürgermeister, den Geist der Bürger zu vergiften suchte. Hör sie dir an!«

Der große Boy lehnte sich in seinen Rollstuhl zurück, ich legte mich bequem in den Kissenstapel und hörte:

Die Geschichte von den hart gekochten Eiern

Eier haben es schwer; denn ihre Schalen sind zerbrechlich wie das Glück. Nur die hart gekochten sind den Schlägen des Schicksals einigermaßen gewachsen.

Die Familie Dotterstein – sie trug ihren Namen nicht ganz umsonst – war so hart gekocht, wie nur je Eier gewesen sind. Sie machte unbekümmert Ausflüge in die entfernteste Umgebung, ging auf härtestem Steinpflaster spazieren und hielt sich eine nicht eben weich gefederte Kutsche, die ein Hahn zog.

Die Dottersteins verkauften Eierhüte jeder Form, Farbe und Größe, Hüte für Hühnereier, für Enteneier, für Möweneier und sogar für Straußeneier. Das Geschäft ging gut. Die Kundschaft war zufrieden. Manchmal kam sogar eine Tomate oder eine Zwiebel in den Laden, um einen Hut nach der neuesten Mode zu erstehen.

Nun lebten die Dottersteins aber in Hintereiburg, wo es nur wenige hart gekochte Familien gab. Alle anderen Eier waren roh oder weich gekocht und mussten so behutsam und vorsichtig durchs Leben wandeln, wie es eben nur rohe oder weich gekochte Eier nötig haben. Das gab böses Blut.

Als ein gewisser Alfred Dottelbeck, ein rohes Ei, Bürgermeister von Hintereiburg wurde, kam plötzlich in alle Gespräche über die Hartgekochten ein merkwürdig giftiger Ton. Der Bürgermeis-

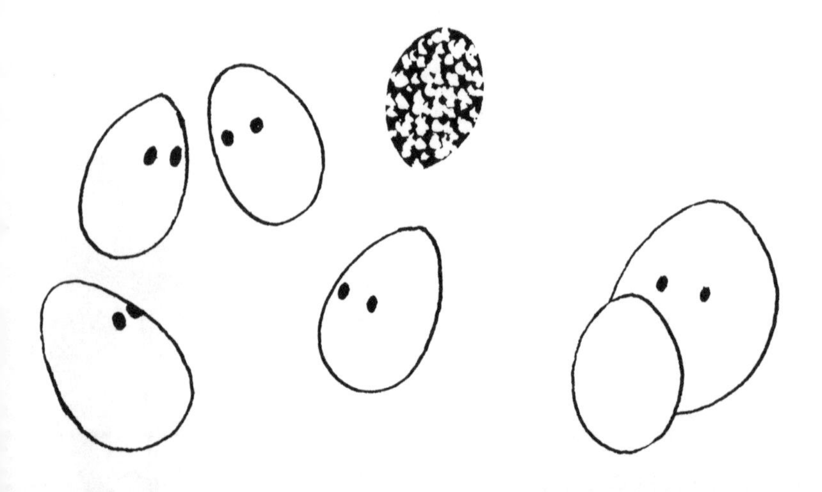

ter, ein Ei von sehr beschränktem Geist, war nämlich der festen Überzeugung, im Charakter der Hartgekochten vereinige sich alle Schlechtigkeit der Welt. Klagte jemand über die zu hohen Preise in der Stadt, sagte er: »Die Hartgekochten haben sich untereinander abgesprochen, die Preise zu steigern!« Jammerte jemand über den Mangel an Arbeitsplätzen, knurrte er: »Die Hartgekochten verdienen besser, wenn das Geld in wenigen Händen ist.«

Der Schreiber dieses Bürgermeisters, ein kümmerliches windiges Kiebitzei ohne Freunde und Familie, bestärkte seinen Herrn tagtäglich in der Abneigung gegen die Hartgekochten; denn er hatte auch einen windigen Verstand.

Eines Tages fragte dieser Kümmerling seinen Herrn und Bürgermeister: »Was ist das Herz des Eies, Euer Wohlgeboren?«

»Das Dotter«, antwortete Dottelbeck.

»Sehr richtig, Euer Wohlgeboren. Wenn aber ein Dotter hart ist, ist dann nicht auch das Herz hart? Und bringen nicht harte Herzen alles Unglück in die Welt?«

»Vorzüglich gedacht, vorzüglich gesagt, mein lieber Schreiber!«, lobte ihn der Bürgermeister. »Schreiben Sie das auf, mein Bester! Ich lasse es drucken und verbreiten, um der Welt die Augen zu öffnen über die Hartgekochten.«

Tatsächlich wurde der Blödsinn, den das liebedienerische Kiebitzei sich ausgedacht hatte, gedruckt und verbreitet. Wer immer sich vom Gemeinderat ein Formular oder einen Stempel holen musste, bekam gleichzeitig einen Flugzettel in die Hand gedrückt, auf dem erklärt wurde, warum die Hartgekochten an allem Unglück in der Stadt schuld seien.

Kluge Eier lachten darüber. Sie sagten: »Der Bürgermeister hat einen Tick! Ob hartes oder weiches Dotter: Ei bleibt Ei!«

Aber auf weniger gescheite Eier machten die Flugzettel leider Eindruck. Sie flüsterten: »Irgendetwas ist dran an diesen Behauptungen. Schaut euch doch die Hartgekochten an. Alle sind reich. Sie mästen sich auf unsere Kosten!«

Tatsächlich waren die meisten hart gekochten Eier wohlhabend,

weil sie als Fremde nach Hintereiburg gekommen waren und weil Fremde sich mehr anstrengen müssen, um vorwärtszukommen, als die Einheimischen, denen hundert befreundete Hände helfen.

Doch darüber dachten viele Bürger nicht nach. Sie sahen nur den angeblichen Reichtum der Hartgekochten, wurden ihnen gegenüber neidisch, misstrauisch und am Ende sogar bös. Der Hass auf die Hartgekochten begann zu schwelen wie Hitze in fauligem Holz. Ein Funke, so fürchteten kluge Eier, könnte genügen, aus dem schwelenden Hass einen Brand zu entfachen.

Viele Auswärtige, die nach Hintereiburg kamen, seien es Tomaten, Quitten, Zwiebeln oder Eierkartoffeln, wunderten sich über die giftigen Angriffe auf die hart gekochten Eier, die ihnen nicht recht begründet schienen. Die »Allgemeine Tomatenzeitung« entsandte eigens einen Korrespondenten, um über die Stimmung in Hintereiburg zu berichten.

Dieser Korrespondent schrieb: »Die öffentliche Meinung in der Stadt ist vergiftet, ihr innerer Frieden aufs Höchste gefährdet. Auswärtige Beobachter sehen eine Entwicklung voraus, bei der die niedrigsten Instinkte der Eier zum Ausbruch kommen können.«

Auch die Familie Dotterstein, die das Gerede anfangs nicht ernst genommen hatte, merkte allmählich, was die Eieruhr geschlagen hatte. Kaum jemand kaufte noch Hüte bei ihnen, von wenigen Freunden und auswärtigen Besuchern abgesehen. Das Geschäft

ging zurück und von vielen Nachbarn wurden die Dottersteins nicht mehr gegrüßt.

Da griffen sie zur Selbsthilfe und luden alle Hartgekochten zu sich ein. Eines Nachts versammelten sich bei den Dottersteins hinter abgedunkelten Fenstern alle hart gekochten Familien, die sich vorher zum Teil gar nicht gekannt hatten, zu einer Beratung.

Die Schalebergs, Eieruhrenmacher, schlugen vor auszuwandern. Die Spiegelmeiers (Eierbecher en gros) wollten im Stadtparlament Klage gegen Dottelbeck erheben. Die Glibbermanns, Salzgroßhändler, boten an, mit einem ihnen befreundeten Stadtrat zu reden.

Aber die Dottersteins hatten gegen alle drei Vorschläge etwas einzuwenden. »Auswandern bedeutet, den Schwätzern womöglich recht geben«, sagten sie. »Eine Klage im Stadtparlament macht aus dem glimmenden Misstrauen gegen uns ein offenes Feuer. Und wenn wir einen einzelnen Stadtrat gewinnen, haben wir noch lange nicht die Ratsversammlung auf unserer Seite.«

»Aber was sollen wir tun?«, seufzten die Schalebergs. »In spätestens einem Vierteljahr sind wir geschäftlich ruiniert. Und wenn dieser Dottelbeck so weitermacht, zünden die Bürger eines Tages unsere Häuser an und erschlagen uns mit unseren eigenen Eierlöffeln.«

Erst gegen Mitternacht wurde der erste halbwegs vernünftige Vorschlag gemacht. »Steht es nicht jedem Ei frei, sich hart kochen zu lassen?«, fragte Herr Dotterstein. »Richten wir eine große Eierkochanlage ein und überreden wir die Leute, sich hart kochen zu lassen. Wer selber hart gekocht ist, kann nicht mehr gegen Hartgekochte stänkern.«

»Sie vergessen«, berichtigte Herr Schaleberg, »dass es im Augenblick für schimpflich gilt, hart gekocht zu sein. Wer wird sich freiwillig solchem Schimpf aussetzen?«

Wieder saß man ratlos herum.

Endlich sagte Frau Spiegelmeier: »Der Gedanke, andere Eier zu überreden, sich hart kochen zu lassen, ist gut. Nur, meine Herrschaften, müsste das in aller Heimlichkeit geschehen. Jeder von uns hat immer noch ein paar Freunde in der Stadt. Machen wir denen klar, wie viel einfacher man lebt, wenn man hart gekocht ist. Überreden wir sie, sich hart kochen zu lassen, und vertrauen wir darauf, dass ihr Beispiel Schule macht.«

Der Vorschlag wurde gebilligt und in den nächsten Tagen machten alle hart gekochten Eier Besuche bei den wenigen rohen oder weich gekochten Freunden, die ihnen noch verblieben waren.

Es war ein hartes Stück Arbeit, in dieser Zeit der Hetze gegen die Hartgekochten andere Eier dazu zu überreden, sich hart kochen zu lassen. Aber da die Dottersteins, Schalebergs, Glibbermanns und wie sie alle hießen, hoch und heilig versprachen, über das heimliche Hartkochenlassen zu schweigen wie ein Grab, gab es innerhalb zweier Wochen tatsächlich viele heimliche Hartgekochte, die – ihrer eigenen neuen Standfestigkeit froh – andere Freunde dazu überreden konnten, sich ebenfalls in aller Stille hart kochen zu lassen. Bald nahm die Schar der Bürger zu, die sich hart kochen ließ, um den Schlägen besser gewachsen zu sein, die der Eierlöffel des Schicksals von Zeit zu Zeit austeilt.

Und nun entglitt die Bürgerschaft langsam den Händen des Bürgermeisters Dottelbeck. Er merkte es selbst und wurde dadurch nur noch unmäßiger in seinen Reden. Als ihm von heimlichen Zusammenkünften der Hartgekochten berichtet wurde, ließ er verbreiten, diese Auswürfe der Eierwelt fräßen bei Nacht ihre eigenen Kinder. Auf der Ratsversammlung, deren Mitglieder schon mindestens zur Hälfte hart gekocht waren, kreischte er: »Ich fordere im Namen aller edlen Eier die Herren Stadtverordneten auf, die unedlen Hartgekochten von allen öffentlichen Einrichtungen, Ämtern und Geschäften zu entfernen! Ich fordere ein Gesetz zur Reinhaltung der Dotter! Nieder mit den Hartgekochten!«

Nach dieser Rede gab es zum ersten Mal Widerspruch in der

Ratsversammlung. Dottelbeck stellte zu seinem Schrecken fest, dass nicht einmal die Hälfte der Ratsherren ihn unterstützte, und da beschloss er, auf die Straße zu gehen.

Der Bürgermeister hatte immer noch eine Gefolgschaft, die man nicht unterschätzen durfte. Es waren die faulen Eier, die keiner geregelten Arbeit nachgingen und die dumm genug waren, ihre eigene Faulheit und Unfähigkeit anderen in die Schuhe zu schieben. Diese faulen Eier versammelte Dottelbeck eines Sonntags auf dem Rathausmarkt. Und diese Eier brüllten lauthals die Parole nach, die er ihnen einbläute:

»Hart gesotten, hartes Herz!
Schickt die Lumpen himmelwärts!«

Die Meute auf dem Platz war so aufgebracht, dass zu fürchten stand, sie würde jeden Augenblick das erstbeste Haus einer hart gekochten Familie stürmen und die Bewohner zu Rührei schlagen.

Da griff der Polizeipräsident, ein rohes Ei, das so viel Verstand wie Sinn für Gerechtigkeit besaß, in die Ereignisse ein.

Er gab dem Bürgermeister, der am Balkongitter des Rathauses stand, ganz einfach einen Stups. Und Alfred Dottelbeck, ebenfalls ein rohes Ei, purzelte – vor Überraschung stumm – über das Gitter

und klatschte mitten zwischen entsetzt zurückweichenden faulen Eiern aufs harte Pflaster. Dabei wurde offenkundig, eine wie finstere Seele der Kerl gehabt hatte; denn das auslaufende Dotter war schwarz.

Den ersten Moment des Schreckens, als alles noch wie gelähmt dastand, nützte der Polizeipräsident. Er brüllte: »Die Versammlung ist aufgelöst. Wer den Platz nicht räumt, wird verhaftet! Meine Beamten schießen auf jeden, der sich widersetzt!«

Der letzte Satz war eine glatte Lüge. Seine Beamten waren genauso ratlos wie alle anderen Bürger. Aber die Drohung half. Die faulen Eier, ihres Anführers beraubt und von Natur aus feige, stoben auseinander und davon. In weniger als zehn Minuten war der Platz leer.

Die weitere Entwicklung in der Stadt Hintereiburg war erfreulich. Nachdem der Polizeipräsident eine Zeit lang die Geschäfte des Bürgermeisters übernommen hatte, wurde eine neue Ratsversammlung gewählt und niemand anders als Herr Dotterstein wurde mit großer Mehrheit zum Ersten Bürgermeister gekürt. Eine Woche später verkündete er von jenem Balkon, von dem aus Alfred Dottelbeck gestürzt worden war: »Alle Eier, ob roh, weich oder hart gekocht, haben die gleichen Rechte und Pflichten. Wer gegen Eier anderer Natur hetzt, wird mit sieben Schlägen des großen städtischen Eierlöffels bestraft und der Stadt verwiesen. Dieses Gesetz ist von der Ratsversammlung einstimmig verabschiedet worden.«

Frau Dotterstein, jetzt Frau Bürgermeister, sagte am Abend die-

ses großen Tages zu ihrem Mann: »Am Ende setzt sich das Hartgekochte eben doch durch!«

»Irrtum, meine Liebe!«, verbesserte Herr Dotterstein. »Du verfällst in den Fehler des Herrn Dottelbeck. Er hielt die Hartgekochten für schlechter als die anderen Eier. Du hältst sie für besser. Beides ist falsch. Vergiss nicht, dass ein rohes Ei Dottelbeck gestürzt hat. Nicht die Hartgekochten haben sich durchgesetzt, meine Liebe, sondern die Vernunft und die Duldsamkeit!«

Und Besseres lässt sich am Ende einer Geschichte wohl kaum sagen.

Mir war es unter dem Zuhören ein bisschen kühl geworden; aber ich hatte nicht gewagt, Kohlen in den Ofen zu schütten, um meinen Urgroßvater nicht zu unterbrechen. Jetzt wollte ich das Versäumte nachholen; doch der Alte kam mir zuvor.

»Bleib liegen, Boy!«, sagte er. »Ich kann den Ofen von meinem Rollstuhl aus versorgen. Ich habe schon Übung darin.«

Wirklich rollte er sich an den Ofen und schüttete, ohne sich erheben zu müssen, Kohlen nach. Dann klopfte er sich die Hände sauber, rollte an den Tisch zurück und fragte: »Hast du in der Eiergeschichte einen Helden gefunden, Boy?«

»War es der Polizeipräsident, der den Bürgermeister vom Balkon stieß, Urgroßvater?«

»Der war im rechten Augenblick beherzt, Boy. Aber er war es, weil er wusste, dass die Hartgekochten viele Freunde hinter sich hatten. Eigentlich hat diese ganze Gruppe sich gut gehalten, weil sie sich nicht unterkriegen ließ. Sie blieb standhaft. Und Standhaftigkeit ist eine Heldentugend.«

»Und war es nun recht, diesen Dottelbeck umzubringen, oder nicht, Urgroßvater? Ei hin, Ei her: Es war doch Mord.«

»Ja, Boy, es war ein Mord. Aber es war, recht besehen, nackte Notwehr. Als die Meute brüllte: ›Schickt die Lumpen himmel-

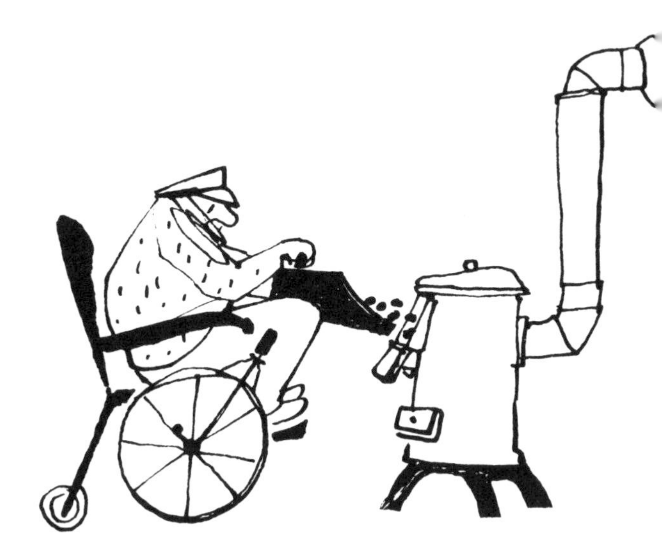

wärts!‹, hatte sie Mord auf den Lippen und Mord im Herzen. Hätte man Dottelbeck nicht umgebracht, wären Dutzende Hartgekochte umgebracht worden.«

»Aber hätte es nicht auch anders kommen können, Urgroßvater? Hätte nicht der Mord an Dottelbeck die faulen Eier erst recht zur Mordlust anstacheln können?«

»Ja, Boy, ja. Auch das hätte sein können. Gewalt zeugt leicht Gewalt. Ich hätte dir auch das ausmalen können. Aber ich bin der Herr meiner eigenen Geschichten. Ich bestehe darauf, die Unvernunft zu zeigen, aber am Ende lasse ich die Vernunft triumphieren, weil ich der dummen Wirklichkeit ein Stück voraus sein will.«

»Hast du dir noch nie eine Geschichte ausgedacht, in der die Dummheit siegt, Urgroßvater?«

»Ich kann mich nicht erinnern, Boy. Ich erinnere mich nur an ein Gedicht, in dem Bravheit mit dem Tode bestraft wird. Und diese Art Bravheit halte ich für Dummheit. Willst du es hören?«

»Aber klar!«

Wie üblich dachte der alte Boy kurz nach, ehe er mir aus dem Gedächtnis aufsagte:

Das Lied vom braven Herrn Soldaten

Er war mal ein Soldat,
Der hatte ein Gewehr
Und eine schöne Uniform
Und einen Rucksack schwer.

Es musste der Soldat
Nach Frankreich einmarschiern
Und dabei seinem Leutnant
Die Leutnantsstiefel schmiern.

Es schmierte der Soldat
Die Leutnantsstiefel ein
In Holland und in Dänemark
Und Russland obendrein.

Der Krieg und der Soldat,
Die zogen weiter fort,
Nach Ungarn und Italien
Und manchen schönen Ort.

Oft traf den Herrn Soldat,
Weil er nicht gleich pariert',
Ein Tritt von jenem Stiefelpaar,
Das er so gut geschmiert.

Dann bat der Herr Soldat
Den Leutnant um Pardon
Und brachte dessen Stiefel gleich
In glänzendste Fasson.

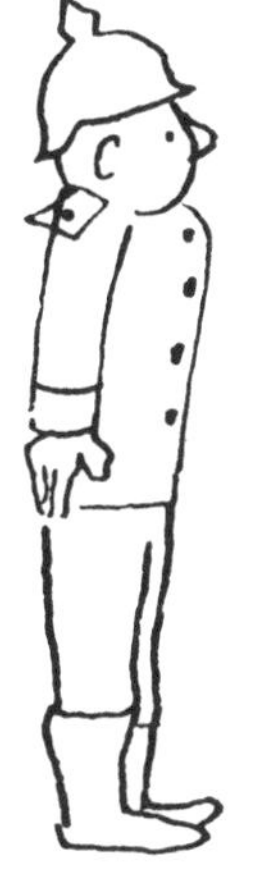

Nun hatte der Soldat
Ein Mädchen, schwarz und kraus.
Das sagte: »Ich versteck dich,
Bis dass der Krieg ist aus!«

Da sagte der Soldat:
»Ich ginge gern mit dir!
Jedoch das Leutnants-Stiefel-Paar
Wird stumpf, wenn ich's nicht schmier!«

So schmierte der Soldat
Die Stiefel, treu und brav,
Bis ihn an einem Donnerstag
Des Feindes Kugel traf.

Da sagte der Soldat:
»Es ist wohl an der Zeit
Und muss wohl Gottes Wille sein,
Dass ich so früh schon scheid!«

Du armer Herr Soldat,
Nun bist du mausetot.
Doch schuld ist deine Bravheit nur
Und nicht der liebe Gott!

Als mein Urgroßvater schwieg, fragte ich: »Ist es nicht ehrenvoll, für das Vaterland zu sterben?«

»Um Gottes willen, woher hast du denn diese Weisheit?«, fragte mein Urgroßvater. »Für welches Vaterland willst du denn sterben? Weißt du, dass diese Insel lange Zeit dänisch war, mein Sohn? Weißt du, dass sie hinterher über hundert Jahre englisch war und erst seit ein paar Jahrzehnten deutsch ist? Was ist denn unser Vaterland, Boy? Heute bin ich deutsch, aber geboren wurde ich englisch. Deine Urururgroßeltern waren Dänen. Meine Urgroßmutter, deine Ahnin, war eine Polin. Für welches dieser Vaterländer willst du denn ehrenvoll sterben? Überlass diesen Unsinn den Leuten vom Festland.«

Ich sah meinen Urgroßvater, der sonst alle Fragen und Probleme kühl abwog, zum ersten Mal ein wenig aus der Fassung geraten. Ich bemerkte auch, ohne dem weitere Bedeutung beizumessen, dass seine Lippen sich bläulich verfärbten. Deshalb sagte ich, leicht eingeschüchtert:

»Im Lesebuch gibt es eine Abteilung über den Krieg, Urgroßvater. Da steht am Anfang, dass es süß und ehrenvoll ist, für das Vaterland zu sterben.«

»Jedenfalls einfacher, als für das Vaterland zu leben«, knurrte der alte Boy. Er setzte, ruhiger geworden, hinzu: »Gewiss, Boy, es kann ehrenvoll sein, sein Vaterland von einem Tyrannen zu befreien oder es gegen einen Feind zu verteidigen, der es unterjochen will. Wer stirbt, um seinem Vaterland die Freiheit zu bewahren, stirbt ehrenvoll. Ob aber das Sterben süß ist, gleichgültig, Boy, für wen man stirbt, das wage ich zu bezweifeln. Kein Tod ist süß. Was sind denn das für Geschichten in deinem Lesebuch, die unter diesem Motto stehen?«

»Kriegsgeschichten, Urgroßvater. Ich kann mich nur an eine erinnern, die heißt: Der Weihnachtsbaum im Niemandsland.«

»Wie?«, rief mein Urgroßvater aufgeregt. »Dieser Schmachtfetzen von einer Geschichte geistert immer noch durch eure Lesebücher? Die musst du mir unbedingt vorlesen, Boy! Wo ist das Lesebuch?«

»Es liegt noch drüben im Südzimmer. Soll ich es holen?«

»Nein, du bleibst liegen! Ich hole das Buch mit dem Rollstuhl. Warte einen Augenblick!« Der Alte stieß die Tür auf und rollte auf den Mittelteil des Speichers hinaus, was einen Höllenlärm machte. Keine halbe Minute später hörte ich die Obergroßmutter rufen: »Was treibt ihr denn da oben?«

»Literaturbeschaffung, Margaretha!«, brüllte der alte Boy zurück.

Darauf kam aus der Tiefe des Hauses eine Bemerkung, die ich nicht verstand. Wie ich meine Obergroßmutter kannte, dürfte es sich um eine Weisheit über den Zusammenhang zwischen Lärm und Literatur gehandelt haben.

Der Urgroßvater kam jedenfalls bald mit der beschafften Literatur, dem Lesebuch, zurück. Er konnte es kaum erwarten, die Geschichte über den Weihnachtsbaum zu hören.

»Such sie heraus und lies sie mir vor«, sagte er, als er mir das Buch gab.

Also schlug ich das Inhaltsverzeichnis auf, suchte und fand die Seitenzahl der Erzählung und las vor:

Der Weihnachtsbaum im Niemandsland oder Der hehre Held

24. Dezember 1917. Die Heilige Nacht senkte sich herab auf die blutgetränkten Fluren Frankreichs. Aber dort, wo der Obergefreite Manfred Korn im Graben lag, gab es keine Heilige Nacht. Dort riss das Trommelfeuer der französischen 8,8-cm-Geschütze nicht ab.

Manfred Korn hatte einen kleinen Tannenbaum festlich geschmückt. Als er ihn jetzt anblickte, stieg vor ihm das Bild einer kleinen ärmlichen Kammer im Norden der großen Stadt Berlin auf, in der jetzt eine alte Frau saß und an ihren Sohn im fernen Frankreich dachte. Manfred Korn erinnerte sich mitten unter dem Trommelfeuer an seine Mutter und an all jene festlich begangenen Weihnachtsabende, an denen sie ihm von ihrem kärglichen Lohn als Weißnäherin irgendeine liebevolle Kleinigkeit geschenkt hatte, ein Paar Wollsocken, eine nagelneue Krawatte oder ein weißes Oberhemd.

»Manfred!«, riss ihn ein westfälischer Kamerad, ein Hüne von Kerl, aus seinen Träumen. »Manfred, nicht weich werden! Drüben auf der anderen Seite liegen Algerier. Das sind Heiden, die kein Weihnachtsfest kennen. Die geben uns heute extra Pfeffer. Wir müssen wachsam bleiben.«

»Ja, Kamerad«, erwiderte gedankenverloren Manfred Korn. »Es sind Heiden, diese Algerier, arme Menschen, die unerleuchteten Geistes sind. Sie kennen nicht den Stern von Bethlehem. Vielleicht, vielleicht …« Manfred Korns Augen glühten plötzlich wie von innerem Feuer. »Vielleicht, Kamerad, sollte man ihnen den Stern bringen!«

»Was redest du denn da?«, verwunderte sich der hünenhafte Westfale. »Den Stern bringen? Wem?«

Aber Manfred Korn hörte ihn nicht mehr. Als ob eine innere Stimme ihn leitete, erhob er sich unversehens, nahm mit beiden

Händen den kleinen geschmückten Tannenbaum und sprang, während rings krachend die Granaten barsten, aus dem Graben hinaus aufs freie Feld. Hier schritt er, den Tannenbaum in seinen Händen, auf die feindlichen Linien zu, ungeachtet der tödlichen Kugeln, welche ihn umpfiffen und deren keine ihn wunderbarerweise traf.

Er wusste sich, als er so dahinschritt, in guter Hut. Er trug den Stern von Bethlehem. Er achtete der Kugeln nicht, sondern schritt tapfer vorwärts.

Und das Wunder der Weihnacht erfüllte sich auch an jenem 24. Dezember des Kriegsjahres 1917. Die feindliche Artillerie, von ungläubigen Heiden bedient, verstummte mit einem Male. Als Manfred Korn mitten zwischen den feindlichen Fronten den Weihnachtsbaum behutsam niedersetzte und seine Kerzen anzündete, da wurden von seinem Strahlenglanz auch die heidnischen Herzen angerührt.

In den deutschen Gräben aber, in denen man staunend und ergriffen die Heldentat des Obergefreiten Manfred Korn beobachtet hatte, klang das Lied auf, das der Inbegriff deutscher Weihnacht ist: Stille Nacht, heilige Nacht …

Mein Urgroßvater hatte sich unter dem Vorlesen nach vorn gekrümmt, als habe er Bauchschmerzen. Jetzt fragte er: »Hat dir die Geschichte etwa gefallen?«

»Ich weiß nicht recht, Urgroßvater! Es soll wohl eine Art Wundergeschichte sein. Aber die Wundergeschichten in der Bibel sind viel genauer: mehr Fleisch und weniger Soße.«

Der alte Boy lachte und sagte: »Du hast es getroffen, Knabe! Die Geschichte ist zu soßig. Deshalb ist dieser angebliche Manfred Korn auch kein Held aus Fleisch und Blut. Er ist eine Pappfigur, eine Marionette an den Fäden eines sogenannten Erbauungsschriftstellers. Im Übrigen, Boy, kannte ich die Geschichte schon.«

»Warum musste ich sie dann vorlesen, Urgroßvater?«

»Damit du selbst den falschen Zungenschlag erkennst, Boy. Jetzt werde ich dir nämlich erzählen, was sich damals, zu Weihnachten 1917, wirklich ereignet hat. Ich weiß es von einem Hamburger Schleppdampferkapitän, der dabei gewesen ist. Diese Geschichte ist nämlich von erbaulichen Kalendern und andächtigen Zungen so oft fromm entstellt worden, dass es endlich an der Zeit ist, sie so zu erzählen, wie sie sich wirklich zugetragen hat.«

Als ich das Lesebuch zugeklappt hatte, lehnte mein Urgroßvater sich in seinem Rollstuhl zurück und erzählte mir:

Der Weihnachtsbaum im Niemandsland oder Der rasende Marzipanbäcker

Es war im Ersten Weltkrieg, als sich in den Schützengräben Frankreichs ein deutsches Regiment, hauptsächlich Berliner, und ein französisches Regiment, ausnahmslos dunkelhäutige Algerier, gegenüberlagen. Am 24. Dezember 1917, dem Tag, an dem die Christen in aller Welt den Heiligen Abend feierten, herrschte, ohne dass es besonderer Abmachung bedurft hätte, Waffenruhe auf beiden Seiten der Front.

Deutsche wie Franzosen zollten dem heiligen Fest ihren Respekt.

Jene Algerier, denen das Berliner Regiment gegenüberlag, waren Mohammedaner. Ihnen bedeutete der 24. Dezember nichts. Sie kannten kein Weihnachtsfest. Auch hatte die französische Heeresleitung versäumt, sie darüber zu unterrichten, dass an diesem Tag nach stillschweigendem Übereinkommen die Waffen zu schweigen pflegten. So knallten und ballerten die algerischen Artilleristen wie jeden Tag aus purer Unkenntnis auf die deutschen Linien los.

Das deutsche Regiment, empört über die Missachtung ungeschriebenen Gesetzes, ballerte zornig zurück.

Das sorgfältig ausgeübte Umbringen von Menschen mittels Pulver, Feuer, Metall und Mathematik, das man Krieg nennt, nahm auf diese Weise auch am Heiligen Abend seinen blutigen Fortgang.

Nun war in einem der vordersten deutschen Gräben ein Berliner Konditor namens Alfred Kornitzke damit beschäftigt, Marzipan für seine Kompanie herzustellen.

Das Grabenstück, in dem er hingebungsvoll Mandeln klein hackte, war gegen Einschläge der feindlichen Artillerie ziemlich abgesichert. Aber die Detonationen der in der Umgebung einschlagenden Granaten behinderten den Konditor erheblich in seiner Arbeit. Da er die Mandeln mangels einer Mandelmühle mit einem eigens fein geschliffenen Seitengewehr zerhackte, schnitt er sich bei der plötzlichen Erschüttung durch eine berstende Granate in die linke Hand und musste mit einem störenden dicken Verband weiterwerkeln. Wenig später verlor er einen Teil des kostbaren, mühevoll beschafften Rosenwassers, als die Karaffe bei einem besonders lauten Knall einen Sprung bekam. Das Rosenwasser musste in leere Konservendosen umgefüllt werden.

Am schlimmsten aber war, dass der kleine dicke Konditor ständig um die Flamme des Petroleumkochers fürchten musste, da für die Marzipanherstellung ein gleichmäßig brennendes Feuer von Wichtigkeit ist.

Gerade in dem Augenblick, als Kornitzke den Topf auf die Flamme setzte, um bei gleichmäßiger Wärme die Masse gleichmäßig rührend in edles Marzipan zu verwandeln, riss die Erschütterung einer sehr nahen Detonation ihm den Holzlöffel aus der Hand, die Flamme ging mit einem Schnalzlaut aus und der Topf wäre unweigerlich umgekippt und ausgelaufen, wenn der Konditor ihn nicht, seinen Verband als Topflappen benutzend, aufgefangen hätte.

»Jetzt reicht's mir aber!«, brüllte der in seiner sorgfältigen Arbeit wieder einmal gestörte Konditor. »Diese Knallköppe von Mohammedanern haben nicht mal vor 'n orntlich ausjebildeten Berliner Zuckateichkünstla Respekt!«

»Aber Alfred«, belehrte ihn ein Kamerad, »wie solln denn die Mohammedanischen wissen, det wir heute Weihnachten feiern und Marzipan machen? Det kenn'n die doch nich!«

Wieder gefährdete eine Detonation den Topf mit seinem kostbaren Inhalt. Wieder musste Alfred Kornitzke ihn auffangen und jetzt geriet er in förmliche Raserei.

»Det kenn'n die nich?«, brüllte er. »Hast du 'ne Ahnung, Teuerster! Det Rosenwasser kommt ja von die Orientalen.«

»Aber Weihnachten kenn'n die nich, Alfred, det is det Malöhr!«

Wieder ein fürchterlicher Knall, wieder eine Erschütterung, wieder war das Werk des Zuckerteigkünstlers in Gefahr.

Jetzt war in dem kleinen Dicken kein Halten mehr. »Det reicht mir, Jeschäftsfreunde!«, tobte er in Richtung auf die gegnerischen Linien. »Weihnachten is Weihnachten und Marzipan is Marzipan. Ick lass mir det nich von euch vermiesen. Da schieb ick jetzt 'n Riegel oder vielmehr 'n Tannboom vor!«

Ehe seine Kameraden ihn begriffen, hatte der rasende Konditor, der selbst hier an der Front eine Bäckermütze trug, einen kleinen kerzenbesteckten Tannenbaum gepackt und war mit ihm über den Grabenrand aufs freie Feld gehechtet, das die feindliche Linie in der sternklaren Nacht vollständig einsehen und mit Feuersalven bestreichen konnte.

Die hinter schmalen Schießscharten postierten deutschen Beobachter glaubten ihren Augen nicht trauen zu können, als sie plötzlich einen deutschen Soldaten, der eine Bäckermütze trug, mit einem Tannenbaum auf die feindlichen Schützengräben zulaufen sahen.

Feldtelefone und Morsegeräte begannen zu läuten oder zu ti-

cken, eine unglaubliche Meldung sprang von Kommandostelle zu Kommandostelle durch das viel verzweigte Grabensystem, und unter den Soldaten, die nur Bruchstücke der Meldung aufschnappten, entstanden die wildesten Gerüchte. Das einzig Greifbare im Durcheinander der Erkundigungen, Gerüchte und hin und her flitzenden Nachrichten war der Befehl des Regimentskommandeurs, das Feuer sofort einzustellen.

Nun verwirren im Kriege ungewöhnliche Vorkommnisse Freund und Feind gleichermaßen. Für die algerischen Schützen und Artilleristen war ein Soldat mit einer Bäckermütze und einem Baum mit Kerzen in der Hand eine Sache, über die keine Dienstvorschrift Anweisungen gab. Das Ding war zu verrückt, um darauf zu schießen, und viel zu ulkig, um es bedrohlich zu finden. Man schoss ganz einfach nicht auf Alfred Kornitzke. Man sah ihm ratlos zu, bis nach einer Weile auch in den französischen Linien Telefone zu läuten und Morseapparate zu ticken begannen. Dabei erfuhren die Algerier plötzlich auch von der allgemeinen Waffenruhe während der Weihnachtsfeiertage und stellten ebenfalls das Feuer ein.

Alfred Kornitzke war inzwischen ein ganzes Stück vorwärtsmarschiert. Nun blieb er stehen, schätzte die Entfernung zwischen den Fronten ab, fand, dass er etwa in der Mitte zwischen den feindlichen Linien sei, ebnete den Boden mit einer Schuhspitze, stellte das Tannenbäumchen sorgfältig hin, holte in aller Seelenruhe die

Streichhölzer, die für den Petroleumkocher bestimmt waren, aus seiner Uniformtasche und steckte, da es eine windstille frostklare Nacht war, Kerze um Kerze an.

Gerade in dem Augenblick, in dem das ganze Bäumchen festlich strahlte, stellte die feindliche Artillerie ihr Feuer ein. Es war plötzlich unheimlich still und in diese Stille hinein hörte man auf beiden Seiten Alfred Kornitzke brüllen: »Na also, ihr Dösköppe, jetzt wisst ihr, wat los is! Fröhliche Weihnachten!«

Dann marschierte er wieder zu den deutschen Linien und turnte zurück in den Graben, wo man ihn lachend und händeschüttelnd empfing.

»Als der Alte zuerst von deinem Alleingang gehört hat, wollte er dich einbunkern«, hörte er sagen. »Jetzt überlegt er, ob er dich für einen Orden vorschlagen soll.«

»Er soll mich mein Marzipan machen lassen«, sagte der Konditor, eilte an seinen Topf, zündete wieder den Petroleumkocher an, begann gleichmäßig rührend mit der Marzipanherstellung und erklärte seinen andächtigen Zuschauern, er würde, wenn er wieder ins Zivilleben zurückkehre, Heidenapostel werden. »Ick weeß nun, wie man det macht!«, fügte er hinzu.

Das Bäumchen zwischen den Linien strahlte noch lange und gab den Militärseelsorgern willkommenen Stoff für die Weihnachtspredigt am nächsten Tag.

Auf diese Weise kam die Geschichte vom Weihnachtsbaum im Niemandsland in viele erbauliche Kalender, und der rasende Marzipanbäcker Alfred Kornitzke wurde zu dem frommen Helden Manfred Korn, der er in Wahrheit nie gewesen ist.

Mein Urgroßvater hatte die letzten Sätze der Geschichte mit einem Lächeln gesprochen. Ich lächelte wohl auch, als ich sagte: »Dieser Alfred Kornitzke mit seinem Marzipan ist viel netter als der Manfred Korn mit seinem Stern von Bethlehem.«

»Vor allem, Boy, ist dieser Kornitzke viel glaubwürdiger«, ergänzte mein Urgroßvater. »Er hat einen handfesten Grund, den Weihnachtsbaum ins Niemandsland zu pflanzen. Er will in Ruhe sein Marzipan backen. Der Obergefreite Korn ist ein Held aus der Retorte, eine Erfindung, eine Fata Morgana, die sich in nichts auflöst, wenn man sich ihr nähert.«

Der alte Boy wollte sich anscheinend noch ausführlicher über Retorten-Helden auslassen; aber unüberhörbar stieg jemand zum Speicher herauf und niemand von uns beiden zweifelte daran, dass es sich um die Obergroßmutter handelte.

Sie kam tatsächlich wenig später mit einem Tablett ins Zimmer, auf dem eine Terrine und zwei Suppenteller standen.

»Wenn die Kinder schon so unvernünftig sind, frisch operiert in der Gegend herumzuturnen, müssen wenigstens die Erwachsenen vernünftig bleiben«, sagte sie. »Esst hier oben, damit der kleine Boy liegen bleiben kann. Guten Appetit!«

Ohne ein weiteres Wort verließ sie uns und wir ließen uns die Suppe mit den Fleischklößchen schmecken.

Nach dem Essen war ich, da der Schmerz in der Ferse völlig verschwunden war, allerbester Laune und glänzend aufgelegt zum Dichten. Aber mein Urgroßvater, der immer noch blaue Lippen hatte, war müde.

»Boy«, sagte er, »ich schlepp mich in den ersten Stock ins Bett.

Ich habe eine Menge Jahre auf dem Buckel. Wenn du inzwischen etwas Nützliches tun willst, denk mal darüber nach, wie jemand, der ein armer Hund ist, zum Helden werden kann. Es gibt so viele arme Hunde unter der Sonne, denen es schlicht an Kraft und Brot für eine Heldentat mangelt. Vielleicht entdeckst du, wie ein solcher armer Kerl zum Helden werden kann. Bis später!«

Der alte Boy rollte hinaus auf den Mittelteil des Speichers und ich hörte, wie er sich mühsam in den ersten Stock hinuntertastete.

Da ich keinen Schmerz mehr verspürte, stand ich auf, holte mir eine unbeschriebene Tapete, breitete sie auf dem Tisch aus und schrieb, indem ich meinen Urgroßvater wörtlich nahm, die Geschichte eines armen Hundes auf, den Lebenslauf eines Straßenköters.

Gegen vier Uhr – ich hatte die Geschichte gerade beendet – kam jemand auf den Speicher. Rasch rollte ich die Tapete ein und verbarg sie unter dem Sofa. Aber das war unnütze Mühe. Es war mein Urgroßvater, der wieder hereingerollt kam.

»Hast du etwas zustande gebracht?«, fragte er.

Ich sagte: »Befehl ausgeführt! Die Geschichte vom armen Hund ist fertig!«

»Dann lies sie mir vor, Boy! Ich bin gespannt.«

Da zog ich die Tapetenrolle unter dem Sofa vor, rollte sie auseinander und las:

Ein Hundeleben

Wenn man jemand etwas Gutes tut, pflegt man zu sagen: »Er soll nicht leben wie ein Hund.«

Was aber tut ein armer Hund, der von Natur dazu bestimmt ist, ein Hundeleben zu führen? Er lebt auch. Man frage nur nicht, wie!

Verfolgen wir als Beispiel die Lebensgeschichte eines sogenannten armen Hundes. Nehmen wir einen Straßenköter von unbestimmbarer Rasse, der irgendwo hinter dem Bretterzaun irgendeiner Baustelle zur Welt kommt. Dieses bedauernswerte Hundekind nährt sich sechs Wochen lang schlecht und recht von der mageren Milch seiner Mutter, überlebt sechs Geschwister, wird eines trüben Sonntags von einem Rudel Knaben bis an den äußersten Rand der Stadt gejagt, findet seine Mutter danach nicht wieder und kommt schließlich in ein Dörfchen, in dem sogar die Menschen arme Hunde sind.

Hier lockt ein Bauer ihn mit einem Knochen auf seinen Hof, packt ihn, legt ihm einen Strick um den Hals und bindet ihn vor der Haustür an.

»Du sollst mich nachts vor Dieben schützen«, sagt er zu dem Hund. »Kann sein, dass du bei mir nicht satt wirst; aber zu hungern brauchst du auch nicht. Man muss sich im Leben nach der Decke strecken, und sei es eine Hundedecke.«

Zum Glück ist es Sommer, als der Hund den ersten Strick seines Lebens um den Hals gelegt bekommt. So erträgt er den Hunger, die Launen des Bauern und die Boshaftigkeit der Dorfjungen wenigstens bei gutem Wetter.

Eines Nachts aber, als schon der Winter vor der Tür steht, überhört der Hund einen Dieb, weil er nach den Plagen des Tages erschöpft in tiefen Schlaf gefallen ist. Dieser Dieb stiehlt dem Bauern den einzigen Schinken aus dem Keller. Kein Wunder, dass der arme Mann wütend wird und seine Wut an dem Hund auslässt.

In der darauffolgenden Nacht kommt der erste Frost, und den Hund, der keine Hütte hat, peinigen der Frost, der Hunger und die Striemen, die ihm der Bauer geschlagen hat. Da bäumt sich das geschundene Tier mit dem Mut und der Wut der Verzweiflung zum ersten Male gegen dieses Leben auf. Er durchbeißt, da er schon seine zweiten, starken Zähne hat, den Strick seines Peinigers und rennt die ganze Nacht hindurch über Felder, durch Wälder und sogar über einen gefrorenen Teich, dessen dünnes Eis einen ausgehungerten Hund gerade noch tragen kann.

Der nächste Morgen findet den Hund in einer Stadt. Hinter einem Schuppen der Großmarkthalle schläft er selig; denn an den Abfällen dieses riesigen Warenlagers hat er sich zum ersten Mal im Leben satt gefressen.

Als er am späten Nachmittag erwacht, gähnt und sich streckt, fühlt er sich wohl und gesättigt und stark. Er findet es ganz natürlich, dass ein wohlfrisiertes Pudelfräulein ihn trotz seines Schmut-

zes bewundert und so lange mit ihm in der Gegend herumtollt, bis eine dicke Dame im Pelzmantel das Pudelfräulein entsetzt zu sich ruft und an einer roten Lederleine mit goldenen Knöpfen entführt.

Zwar betrübt das den Hund, aber sein erwachtes Selbstgefühl wird dadurch nicht erschüttert. Er bellt der Pudelin einen Abschiedsgruß nach und stolziert mit erhobener Schnauze in die Stadt. Er ist so von sich eingenommen, dass es für den berüchtigten Hundefänger Kasimir Klappkott ein Leichtes ist, dem Hund blitzschnell eine Kette umzulegen und ihn zu anderen gefangenen Hunden in einen Lieferwagen zu stoßen. (Das wütende, verzweifelte Bellen der Gefangenen wird vom Motor des sehr alten Autos überdröhnt.)

Ein enger Hundezwinger in einer langen Baracke am Rande der Stadt nimmt den Hund für die nächsten zwei Tage auf. Aber Kasimir Klappkott hat es nicht leicht mit ihm. Der Hund ist nicht mehr bereit, sich ständig zu ducken und den Schwanz einzuziehen. Er beißt und bellt, lässt sich auch durch die Peitsche nicht zur Räson bringen und entwischt dem Hundefänger am dritten Tage, als der zum Füttern die Tür des Zwingers geöffnet hat.

Wieder einmal rennt der Hund vor einem bösen Schicksal davon, aber leider auch wieder in ein böses Schicksal hinein.

Da er nicht lesen kann (ein Schicksal, das er wenigstens auch mit den bessergestellten Hunden teilt), übersieht er ein Schild, auf dem zu lesen steht: »In diesem Revier werden wilderne Hunde ohne Rücksicht erschossen.«

Der Hund läuft also hinein in das für ihn so gefährliche Revier und sieht plötzlich einen Hasen vor sich. Da erwacht sein Jagdinstinkt. Er rennt hinter dem Hasen her, fühlt sich herrlich wohl dabei (obwohl er sich durch das Hakenschlagen des Hasen dauernd zum Narren halten lässt) und saugt die Luft der Freiheit und der Stärke mit vollen Zügen in die Hundenase ein.

Das ist Leben!, denkt er bei sich, als die Jagd durch ein Stoppelfeld weitergeht. Aber in ebendiesem Augenblick, als der Hund es zum ersten Male wirklich schön findet, auf der Welt zu sein, in ebendiesem Augenblick hebt der Förster sein Gewehr, zielt, schießt und trifft.

So endet ein Hundeleben irgendwo auf einem Feld, als es von einer nahen Turmuhr sieben schlägt und die bessergestellten Hunde sich gerade anschicken, ihre Futternäpfe zu leeren.

Mein Urgroßvater klatschte nach der Geschichte in die Hände. »Ausgezeichnet, Boy!«, sagte er. »Du hast herausgefunden, wann auch arme Hunde einmal das Stückchen Held entdecken, das sie in sich tragen: Sie müssen einmal ein bisschen freie Luft geschnuppert, einmal gemerkt haben, was ein freies Leben wert ist, dann werden sie sich ihrer Fessel und Ketten bewusst und spannen die Muskeln. Ist dir übrigens aufgefallen, dass wir heute ständig von den großen Herren, die Tyrannen sind, und von den armen Schluckern, die sich ihrer Haut wehren müssen, gesprochen haben?«

»Natürlich, Urgroßvater! So etwas ergibt sich ganz von selbst. Vor zwei Jahren, als wir über Sprache sprachen und dichteten, da hatte

auch jeder Tag sein Thema. Genau wie jetzt. Morgen zum Beispiel denken wir uns Gedichte und Geschichten über Denkmäler aus.«

»Stimmt, kleiner Boy«, sagte der große Boy. »Für morgen haben wir tatsächlich schon wieder ein Thema. Anscheinend ...«

Er konnte nicht weitersprechen, denn ein Besuch überraschte uns. Er stand unvermittelt im Zimmer.

Es war mein Untergroßvater mit dem krausen schwarzen Haar.

»Störe ich?«, fragte er.

Mein Urgroßvater sagte lächelnd: »So ein seltener Besuch wie du stört nie, Jakob!«

»Aber ihr scheint zu dichten, Boys. Ich kann mich ruhig ein bisschen nach unten verziehen und in einer Stunde wieder heraufkommen. Die Weiber reden über Weihnachtsgeschenke. Vielleicht kann ich ihnen Tipps geben.«

Wir erklärten gemeinsam, dass er keineswegs störe. Er möge nur hereinkommen. Seine Rücksicht sei durchaus falsch am Platze.

»Wir haben unser Thema schon genug besprochen und bedichtet, Jakob«, sagte mein Urgroßvater.

»Welches Thema, Boy?«, fragte der Untergroßvater.

»Die Großen und die Kleinen, die Herren und die Knechte, die Tyrannen und ihre Untertanen.«

»Wie schade, dass ich nichts mehr darüber höre«, sagte bedauernd mein Untergroßvater.

»Nun ja ...« Der alte Boy rollte sich in seinem Stuhl nachdenklich vor und zurück. »Nun ja, Jakob, eine Nummer hätte ich wohl noch zu diesem Thema. Eine Fabel, die ich mir vor Jahren einmal ausgedacht habe. Ich könnte sie vortragen.«

»Dann tu das, Boy«, sagte mein Untergroßvater. »Du weißt, dass ich gelegentlich selber dichte, wenn ich auch kein Fachmann bin.«

Der klug angebrachte Hinweis auf die poetische Fachmannschaft meines Urgroßvaters stachelte den alten Boy an. Er ging die Fabel in Gedanken noch einmal durch und trug sie dann laut vor:

Der Bär und die Ameisen

Ein Bär wollte einmal in Preußen
Den Ameisen schlagend beweisen,
Wie schwer er als Bär doch wohl wär.
So setzte der Bär sich mit Schnaufen
Hin auf einen Ameisenhaufen
Und brummte: »So schwer ist ein Bär!«

Doch plötzlich, sich juckend und lausend,
Erkannte der Bär, dass zehntausend
Von Ameisen, winzig und klein
(Sind sie sich nur einig und herzhaft),
Sehr lästig und grässlich und schmerzhaft
Und überaus stark können sein.

Der Bär, er lag Stunden um Stunden,
Geschunden, voll Schrunden und Wunden,
Im Kampf mit dem Ameisenheer.
Er floh schließlich, grässlich zerbissen,
Zerfetzt und zerkratzt und zerschlissen.
Und klug sagt der Bär sich seither:

Der Große kann Kleine bedrücken.
Er tanzt ihnen keck auf dem Rücken.
Doch wird diese Bürde zu schwer
Und stehen die Kleinen zusammen,
Dann sind sie wie Stürme, wie Flammen
Und tausendmal stärker als er.

Als der Urgroßvater schwieg, sagte mein Untergroßvater:

»Ihr Dichter, Boy, denkt euch schöne und kluge Sachen aus, in denen die gerechte Sache triumphiert. Aber wie ist denn das wirklich mit den kleinen Leuten? Mit den Gedrückten und Geschundenen? Stehen sie wirklich zusammen? Geht nicht jeder von ihnen dem Großen um den Bart, um von ihm ein bisschen mehr Brot oder Geld oder Rente zu bekommen als sein Nachbar? Wann sind sich denn die Kleinen einig, Boy?«

Seufzend erwiderte mein Urgroßvater: »Du hast recht, Jakob, wenn du behauptest, dass durch Jahrhunderte hindurch die Armen sich nicht wehrten. Aber inzwischen ist eine ganz neue Art von Helden auf den Plan getreten, Jakob: Leute, die mit dem geübten Verstand der Großen für die Kleinen denken. Es fing mit Grafen an, die Sozialisten wurden.«

Mein Untergroßvater lachte und sagte: »Das ist das Schlimme an euch Dichtern, dass ihr eure Fantasie auch noch mit Geschehnissen aus dem wirklichen Leben belegen könnt!«

»Dichter«, sagte mein Urgroßvater, ebenfalls lachend, »Dichter riechen rechtzeitig, was auf die Menschheit zukommt. Sie erkennen heute schon die Helden von morgen!«

Leider wurde unser Gespräch unterbrochen, weil wir zum Abendessen heruntergeholt wurden. Erstaunlicherweise war die ganze Familie da: meine Eltern und Schwestern, die Untergroßmutter und der Untergroßvater, die Obergroßmutter, der Urgroßvater und ich.

Den Grund für diese Zusammenkunft entdeckten wir beiden Boys erst, als wir überall im Wohnzimmer Blumen und Geschenkpäckchen herumliegen sahen und uns plötzlich daran erinnerten, dass die Obergroßmutter irgendwann kurz vor Weihnachten Geburtstag hatte. Niemand hatte es uns gesagt, weil jeder meinte, wir hätten längst gratuliert. Da schämten wir zerstreuten Dichterlinge uns, verzogen uns in einem geeigneten Augenblick in das Schlafzimmer der Obergroßmutter und verfassten gemeinsam ein Geburtstagsgedicht. Dann hinkten wir wieder ins Wohnzimmer, der Urgroßvater klopfte mit einem Löffel an sein Glas, und als alle neugierig schwiegen und ihn anblickten, zeigte er auf mich und sagte: »Der kleine Boy präsentiert jetzt das Geburtstagsgeschenk der Dichter.«

Da erhob ich mich und las:

Das Lied zum Preise der Obergroßmutter

Wer murrt gern? Wer knurrt gern?
Wer ist niemals schüchtern?
Wer sorgt bei zwei über-
Kandidelten Dichtern
Für Ordnung und Reinlichkeit,
Wärme und Futter?
Die Ober-, die Ober-, die Obergroßmutter!

Wer ist aus dem Zeug,
Aus dem Helden gemacht sind?
Wer bleibt, wenn die andern
Auf Vorsicht bedacht sind,
So standhaft und eisern
Und fest wie einst Luther?
Die Ober-, die Ober-, die Obergroßmutter!

Wer darf uns im Hause
Gern Grobheiten sagen?
Wer ist ein Tyrann,
Den wir fröhlich ertragen?
Wer ist hart wie Eisen
Und doch weich wie Butter?
Die Ober-, die Ober-, die Obergroßmutter!

Wer murrt gern? Wer knurrt gern?
Wer nennt uns Rabauken?
Wen feiern wir trotzdem
Mit Trommeln und Pauken?
Wer bleibt stets die Herrin
Vom Haus und vom Kutter?
Die Ober-, die Ober-, die Obergroßmutter!

Die Familie klatschte. Die Obergroßmutter aber tupfte sich die Augen und murmelte: »Erst vergessen die Halunken den Geburtstag, und dann bringen sie einen in solche Verlegenheit. Warum hat der liebe Gott mich bloß mit zwei Dichtern gestraft?«

»Weil du genau der richtige alte Igel für Dichter bist!«, lachte mein Urgroßvater, und damit gab er der Obergroßmutter wieder Grund, das Taschentuch einzustecken und herzerfrischende bissige Bemerkungen von sich zu geben.

Der Tag endete zu allseitiger Zufriedenheit. Als ich der Obergroßmutter vor dem Schlafengehen ausnahmsweise einen Gutenachtkuss gab, sagte sie sogar: »Schlaf gut, kleiner Dichter! Aber bring mich nicht wieder in Verlegenheit mit solchen Gedichten!«

»Ehrenwort!«, sagte ich. »Zum nächsten Geburtstag kriegst du eine Distel!«

Der Freitag, an dem es meinem Urgroßvater nicht gut geht und an dem ich mit Jonny Flöter Tante Julie besuche. Handelt von Denkmälern jeder Art, lobt Herzog Oskar, der keine Helden nötig hat, lässt Steine reden und eine Wildsau zu Recht in ein Wappen setzen und zeigt am Beispiel eines Metzgers und mehrerer Kindergärtnerinnen, was ein zähneknirschender Held ist.

Der Freitag

Der Freitag fing betrüblich an, denn der Arzt war mit dem Zustand meines Urgroßvaters gar nicht zufrieden. Er gab ihm Herztropfen und empfahl ihm, einen Tag lang im Bett zu bleiben, wenigstens aber bis Mittag zu ruhen.

Der alte Boy hielt sich an die zweite Empfehlung, blieb bis Mittag im Bett und beguckte sich dabei das Album mit den Denkmälern. Mich schickte er auf die Straße mit der Bemerkung, dass man sich auch mit einem Dichterkopf manchmal die Beine vertreten müsse.

So hinkte ich mit meinem Freund Jonny Flöter durch das Oberland, über das ein eiskalter Wind fegte, und betrachtete mit ihm die weihnachtlichen Auslagen der Geschäfte. Die Weihnachtsferien hatten inzwischen begonnen, sodass ich mich ruhig draußen zeigen konnte, ohne als Schulschwänzer zu gelten.

Als wir frostrote Gesichter hatten und uns trotz unserer dicken Pullover im scharfen Wind zu frieren begann, flüchteten wir in das immer warme Haus der Tante Julie, einer lustigen Dame, die von jedermann Tante genannt wurde, obwohl sie eigentlich niemandes Tante war.

Neben ihrer Tür hing an einem Klingelzug eine Gipshand und darunter las man auf einem handgeschriebenen Schildchen:

Sandmann Overbeck 1 x klingeln
Juliane Overbeck 7 x klingeln
Rasputin Overbeck 1 x bellen

Sandmann war ein Junge unseres Alters, den die Tante an Sohnes statt angenommen hatte. Er war ein Findelkind. Sie hatte ihn als Baby, in Ölzeug verpackt, am Strand gefunden, weshalb er Sandmann genannt wurde.

Rasputin war Tante Julies Hund, so ein kleines langhaariges Etwas mit Troddeln vor den Augen, bei dem man nicht recht wusste, wo vorn und wo hinten war.

Sandmann, der der Tante ausgezeichnet den Haushalt führte, ließ uns ein, weil wir nur einmal geklingelt hatten. Aber er ging, samt Rasputin, gleich wieder in die Küche und brachte uns ins sogenannte Blaue Zimmer. Hier legten wir unsere dicken Pullover ab und erhielten wie stets gekochten Rotwein und Pfefferkuchen.

»Ich höre«, sagte Tante Julie hier, »dass ihr beiden Boys wieder dichtet. Über Helden. Stimmt das?«

Ja, sagte ich, das sei richtig; aber es wundere mich, dass die ganze Insel darüber Bescheid wisse.

»Nicht die ganze Insel!«, verbesserte mich die Tante. »Nur Leute, die sich für Dichter interessieren. Ich wette, Jonny hat keine Ahnung davon. Stimmt's?«

Jonny Flöter nickte, fügte aber hinzu: »Boy ist heute wieder zerstreut wie ein alter Mann. Da hab ich mir schon gedacht, dass die zwei Dichter wieder im Gange sind.«

»Macht denn Dichten zerstreut?«, fragte die Tante erstaunt.

»Und wie!«, rief Jonny. »Einmal wollte ich mit Boy Krebswettläufe veranstalten; aber plötzlich sieht der Knabe einen Kastanienbaum und ist zu nichts mehr zu gebrauchen. Er redet nur noch über Kastanien und hört überhaupt nicht zu, wenn man mit ihm spricht.«

»Aha!«, rief Tante Julie. »Jetzt verstehe ich, wie das zusammenhängt: Wenn die Dichter sich etwas ausdenken oder überlegen, dann sehen und hören sie nicht, was um sie herum vorgeht. Das ist aber, genau genommen, keine Zerstreutheit, Jonny, sondern das Gegenteil: gezielte Aufmerksamkeit auf eine Sache.«

»Kann schon sein«, brummte Jonny Flöter, der an den komplizierten Vorgängen in Dichterköpfen nicht unbedingt interessiert schien. Er war ein praktischer Junge, der deshalb auch den Vorschlag machte, Mensch-ärgere-dich-nicht zu spielen.

Die Tante spielte bereitwillig mit uns, fragte mich aber immer wieder, was ich denn mit meinem Urgroßvater reime.

Als sie erfuhr, dass wir Balladen und Geschichten über Denkmäler schreiben wollten, war sie richtig begeistert.

»Bedenkt aber«, sagte sie, »dass Denkmäler nicht nur auf Sockeln stehen, Boy! Es gibt viele Denkmäler auf der Welt: eine Münze zum Beispiel. Oder einen Grabstein. Auch ein Sternbild kann ein Denkmal sein. Oder ein Haus. Oder ein Wappen. Oder einfach ein Stein, der an irgendein Ereignis erinnert. Vergesst das nicht bei euren Denkmalsgeschichten!«

Die Bemerkung der Tante brachte meine Gedanken in Bewegung. Ich wurde beim Spiel immer unaufmerksamer und machte die allerdümmsten Fehler. Jonny Flöter war darüber so wütend, dass er schließlich den Würfel auf den Tisch knallte und ausrief: »Ich spiel nicht mehr mit! Boy passt überhaupt nicht auf!«

Ehe ich mich entschuldigen konnte, sagte Tante Julie: »Boy denkt an Denkmäler, wenn ich mich nicht irre. Habe ich recht?«

Ich nickte und erklärte, schuld daran sei Tante Julies Bemerkung, dass es viele Denkmäler gäbe.

»Wie erfreulich für mich«, lächelte die Tante. »Weißt du, Boy, jede Frau möchte gern die Muse sein, die einen Dichter zu einer Geschichte oder einem Gedicht ermuntert.«

»Außer meiner Obergroßmutter!«, belehrte ich sie, und dabei fiel mir plötzlich ein, dass ich versprochen hatte, pünktlich zum Mittagsessen daheim zu sein. Ich blickte daher auf die Standuhr und sah, dass ich gerade noch mit knapper Not zeitig genug da sein könne. So entschuldigte ich mich, wurstelte mich wieder in meinen Pullover und hinkte in die Trafalgarstraße, den Kopf voller Einfälle über Denkmäler jeder Art.

Ich kam noch zur Zeit, um – wie jeden Freitag – gekochten Trockenfisch mit der Obergroßmutter zu essen. Der Urgroßvater aß im Bett, stand aber nach dem Mittagessen auf und schleppte sich auf den Speicher ins Südzimmer, um mit mir über Denkmäler nachzudenken.

Als wir es uns bequem gemacht hatten – der alte Boy im Rollstuhl, ich auf der Ottomane –, fing ich sogleich an, meinem Urgroßvater zu erklären, dass es viele Arten von Denkmälern auf der Welt gäbe. Aber das hatte er sich beim Durchblättern des Albums im Bett auch schon überlegt.

»Selbst eine Haarlocke«, sagte er, »kann ein Denkmal sein. Und zuweilen kann sie bedeutender sein als ein lebensgroßes Reiterstandbild in Bronze. Ich habe in dem Album zwei hübsche Sprüche gefunden, die ich abgeschrieben habe.«

Er zog eine Zeitung aus seiner Rocktasche, auf deren Ränder er die Sprüche notiert hatte.

»Der eine Spruch«, erklärte er, »stammt aus Berlin. Dort stehen im Tiergarten unzählige bedeutende oder unbedeutende Fürsten in Stein oder Bronze herum und auf einen besonders unbedeutenden dieser Hoheiten haben die Berliner diesen Spruch gemacht.«

Der Alte las vom Zeitungsrand:

Spruch auf ein Fürstendenkmal

Das Denkmal hier soll Nachricht geben
Von Seiner Hoheit, einem Fürscht,
Der sich in Gottes Hand gegeben,
Verbraucht, versoffen und zerknirscht.
Gott schenke ihm die ewige Ruh
Und einen Liter Schnaps dazu.

»Dieser Fürst scheint nicht gerade denkmalsreif gewesen zu sein«, lachte ich.

»Wohingegen ein Maurer denkmalsreif wäre, dem niemand ein Standbild gesetzt hat, Boy. Ihm gilt nämlich der zweite Spruch, der auf einem hölzernen Grabkreuz steht. Hör her!«

Wieder las der Alte vom Zeitungsrand:

Grabspruch für einen Maurer

Hier ruht der Maurer Meier
In Gottes ewger Ruh.
Er aß gern Speck und Eier
Und trank zwei Bier dazu.

Er rettete Rolf Reiter,
Als der im See versank.
Rolf Reiter, der lebt weiter.
Der Maurer, der ertrank.

Durch die beiden Sprüche über den Fürsten und den Maurer kamen wir in ein langes Gespräch über die Frage, wer ein Denkmal verdient habe und wer nicht.

»Eines steht jedenfalls fest«, sagte mein Urgroßvater schließlich, »nicht jeder, dem man ein Denkmal errichtet, ist ein Held. Und nicht jeder, der ein Held ist, bekommt ein Denkmal. Ich habe heute Morgen im Bett zwei Balladen geschrieben, die dir das zeigen sollen. Aber zuerst will ich die Ballade hören, die du gestern Morgen gedichtet hast. Sie steht zwar im Album, aber ich habe sie nicht gelesen, weil ich sie aus deinem eigenen Munde hören will. Lies vor!«

Da nahm ich das schwere Album auf den Schoß, schlug die entsprechende Seite auf, die durch ein eingelegtes Streichholz gekennzeichnet war, und las:

Die Ballade vom König und dem Mädchen

Es war einmal ein König,
den hassten alle sehr.
Er plagte gar nicht wenig
Die Leute ringsumher.

Einst ließ er laut verkünden,
Im Städtchen Hartestolt
Sei eine Uhr zu finden,
Dazu ein Klumpen Gold.

Doch seien alle beide,
Die Uhr und auch das Gold,
In gleiche rote Seide
Sehr ähnlich eingerollt.

Wer nun die Uhr entdecke
Und wag, sie zu berührn,
Der werde auf dem Flecke
Samt Städtchen explodiern.

Doch wer das Gold könnt heben,
In Seide, rot und fein,
Der rette Stadt und Leben
Und werde Herzog sein.

Da floh nach allen Seiten
Das Volk von Hartestolt.
Das Leben war den Leuten
Viel wichtiger als Gold.

Man flüchtete im Sturme.
Leer wurde jedes Haus.
Der König sah vom Turme
Durchs Glas nicht Mann noch Maus.

Doch plötzlich sprang durchs Städtchen,
Sehr niedlich und adrett,

Das kleine blonde Mädchen
Marie Elisabeth.

Vorm Turme sah der König
Durchs Glas dem Mädchen nach
Und zitterte nicht wenig
Und seufzte leise: »Ach!«

Schon fand zu ihrer Freude
Marie Elisabeth
In funkelroter Seide
Ein rundliches Paket.

Der König sah's mit Grauen.
Das Glas ist ihm entrollt.
Er wagte nicht zu schauen
Hinab nach Hartestolt.

Sein Herz, das stolze, böse,
Das schlug zum ersten Mal.
Doch hat er kein Getöse
Vernommen aus dem Tal.

Er nahm das Glas aufs Neue,
Das er verloren hatt',
Und sah voll Angst und Reue
Hinunter in die Stadt.

Was sah er in dem Städtchen?
Da spielte arglos-hold
Marie Elisabethchen
Mit einem Klumpen Gold.

Sie klatschte in die Hände
Und lief der Kugel nach
Und rollte sie am Ende –
Plim plum – in einen Bach.

Der König lief vom Turme
Hinab zu seinem Ross.
Der König ritt im Sturme
Ins Tal vor seinem Schloss.

Er sprang von seinem Pferde,
Trat vor das Mädchen hin
Und beugte sich zur Erde:
»Gott grüß Euch, Herzogin!«

»Gott grüße dich, Herr König!«,
Versetzt' das Kind voll Spaß
Und hob vor Stolz ein wenig
Die Sommersprossen-Nas.

Der König hob das Mädchen
Behutsam auf sein Ross.
Dann ritt er aus dem Städtchen
Hinauf zu seinem Schloss.

»Was niemand in der Runde
Gelang«, sprach er vom Pferd,
»Das hat in einer Stunde
Die Unschuld mich gelehrt.«

Und während nun das Pärchen
Fortreitet aus der Stadt,
Empfiehlt sich dieses Märchen
Dem, der's verstanden hat!

Mein Urgroßvater sagte nach meinem Vortrag: »Hübsch, hübsch, Boy! Ein König, der ein grausames Spiel treibt, bekommt, als ein unschuldiges Kind hineingerät, selbst Angst vor dem Spiel. Außerdem rettet das Kind eine Stadt. Auch gut! Da hat es ein Denkmal verdient. Doch eine Heldin ist diese Kleine nicht. Sie hat ja aus Unwissenheit gehandelt. Helden aber wissen, was sie tun.«

»Weiß der Held deiner Ballade, was er tut, Urgroßvater?«

»Er weiß es sehr genau, Boy! Er weiß nämlich, warum er darauf verzichtet, ein Held zu sein. Hör her!«

Von einer Papierserviette, die eng beschrieben war, las mein Urgroßvater:

Die Ballade von Herzog Oskar dem Großen

Es steht ein Denkmal in Cumberstadt
Von Herzog Oskar dem Großen,
Der die Methode erfunden hat,
Den weißen Pfeffer zu stoßen.

Die Chronik hat von dem hohen Herrn
Nichts Nennenswertes berichtet.
Man weiß nur: Die Leute haben ihm gern
Das kleine Denkmal errichtet.

Er hat den Hausfraun Gutes getan,
Den Leckermäulern nicht minder.
Auch war er lustiger Trinkkumpan
Und ihn liebten die Landeskinder.

Ganz ohne Krieg und den Lärm der Schlacht
Und blutiges Kampfgewühle
Hat er sein Ländchen reich gemacht
Durch eine Pfeffermühle.

Er war kein Held, doch ein guter Mann.
Drum soll mein Gedicht von ihm melden.
Ein Fürst, der Helden entbehren kann,
Ist besser als einer mit Helden.

Ich applaudierte nach dem Gedicht, weil mir dieser Herzog Oskar ebenso gefiel wie die Verse meines Urgroßvaters.

»Seltsam ist nur«, sagte ich, »dass wir beide, die tagelang über Helden reden, uns über jemanden freuen, der Helden überflüssig macht.«

»Das, Boy, lässt sich leicht erklären. Heldentum gedeiht in der Gefahr. Eine Welt ohne Gefahren hätte keine Helden nötig. Aber leider, Gott sei Dank, ist die Welt eine riesige Fallgrube voller Gefahren und darum wird es immer Helden geben. Man kann das Heldentum nur umgehen, indem man den Gefahren entschlüpft. Es gibt Leute, die aalglatt durch alle Maschen schlüpfen, die das Leben knüpft; aber ich frage mich, ob das auf die Dauer guttut.«

Der Blick meines Urgroßvaters fiel zufällig auf das schwarze Wachstuchheft und so fuhr er fort: »Man muss sich manchmal entscheiden im Leben, auch wenn es schwerfällt. Fast jeder Held hat sich vor seiner Tat entscheiden können, ob er sie unternimmt oder nicht. Bei Herkules ist das besonders deutlich. Reich mir doch mal das Heft her.«

Ich gab es ihm, da es mir zunächst lag, und er fand nach kurzem Blättern die Stelle, die er mir vorlesen wollte. Es war:

Die Ballade von Herkules und den zwei Schwestern

Herr Herkules, der große Held,
Man kennt ihn aus der Sage,
Der hat die angsterfüllte Welt
Befreit von mancher Plage.

Und was dabei besonders zählt,
Sei hier bekannt gegeben:
Er selber hat sich's ausgewählt,
Sein Leben so zu leben.

Denn als er jung und reizend war,
Begabt mit vielen Gaben,
Kam eines Tags ein schönes Paar
Von Schwestern zu dem Knaben.

Die eine Dame war die Lust,
Die andre war die Tugend.
Sie sagten: »Eine von uns musst
Du wählen in der Jugend!«

Die Dame Lust sprach: »Junger Held,
Wähl mich, das macht Vergnügen.

Was dir gefällt auf dieser Welt,
Das kannst du bei mir kriegen.«

Die Dame Tugend sagte fein:
»Lass dich von mir beraten.
Das bringt Gefahr, doch obendrein
Den Ruhm der guten Taten.«

Der Held mit seinem Keulendings
Sah ernst und ohne Bange
Zuerst nach rechts und dann nach links
Und überlegte lange.

Dann sagte er zur Dame Lust:
»Sie sind sehr niedlich, Dame.
Doch hab ich Feuer in der Brust,
Nach Ruhm verlangt mein Name.

Mir ist die Tugend lieb und wert,
Wenn Sie auch drüber lachen;
Denn die Gefahr, die sie beschert,
Die wird mich stärker machen.«

Da war die Dame Tugend froh,
Weil sie moralisch ist.
Und Herkules, der wurde so
Der erste Moralist.

Das Wachstuchheft klappte zu und ich fragte, ob nicht jeder Mensch eines Tages vor einer ähnlichen Entscheidung stünde.

»Natürlich, Boy«, sagte mein Urgroßvater. »Das ist ja das Schöne an Herkules, dass er oft nur ein zum Halbgott hinaufgesteigerter Jedermann ist. Tausende von Heldengeschichten sind immer wieder nur Abwandlungen der Taten des Herkules. Nicht von ungefähr komme ich immer wieder auf ihn zurück. Und nicht von ungefähr sage ich am Schluss jedes Gedichtes, dass er in irgendeiner Hinsicht der Erste war, sogar der erste Held der Arbeit. Deshalb hat er auch zu Recht sein Denkmal bekommen.«

»Welches Denkmal, Urgroßvater?«

»Als Sternbild am Himmel, Boy! Ein schöneres Denkmal ist schwerlich denkbar.«

Leider wurde unser Herkulesgespräch unterbrochen, weil jemand die Stiege heraufta ppte. Da wir weder beschriebene Tapeten noch bekritzelte Seemannskalender zu verstecken hatten, sahen wir dem Besuch gefasst entgegen, waren aber doch erstaunt, als, mit

einem dicken roten Notizbuch in der Hand, Tante Julie hereinkam.

»Entschuldigung, die Herren!«, rief sie. »Ich weiß, ich störe. Aber ich habe auch eine Denkmalsgeschichte geschrieben und wüsste so schrecklich gern, was Fachleute darüber denken.«

»Sie hören schweigend und geduldig zu, liebe Julie«, sagte der alte Boy. »Leg erst einmal den Mantel ab.«

Die gute Tante war so aufgeregt, dass das Mantelausziehen zu einem Problem wurde. Ich musste aufstehen und sie aus den verhedderten Ärmeln befreien. Gleich danach saß sie auch schon neben mir auf der Ottomane und war ganz zappelig vor Ungeduld, weil sie ihre Geschichte loswerden wollte.

Da sie eine nette Dame war, heuchelten wir zwei Dichter großes Interesse und hörten uns geduldig an:

Die Geschichte vom Stein des Anstoßes

In einer abgelegenen Gegend, vielleicht hundert Meter abseits einer alten Landstraße, lugt ein glatter runder Buckel aus dem Gras. Das ist der sichtbare Teil eines großen Feldsteines. Wenn Steine reden könnten – und dank unserer Fantasie können wir sie ja reden lassen –, dann würde der Stein uns seine Geschichte folgendermaßen erzählen:

Ich bin ein Sandsteinbrocken, der seit vielen tausend Jahren an dieser Stelle Heimatrecht genießt. Obwohl ich stumm, bescheiden und unbeweglich hier liege, errege ich immer erneut Anstoß bei den Tieren.

Es begann mit einer Saurierfamilie, die aus irgendeinem Grund querfeldein rannte. Ein Saurierjunges übersah mich dabei in der Eile, stolperte und lag gleich darauf heulend im Gras.

Die übrige Familie hielt sogleich im Lauf inne, kehrte zu dem gestürzten Jungen zurück, erkannte, was geschehen war, und begann mich unschuldigen Stein mit den wüstesten Ausdrücken zu beschimpfen. Das Junge hatte sich nämlich an meiner scharfen Kante zwei Zehen verletzt.

Er dauerte Jahrhunderte – oder waren es Jahrtausende? –, bis Wind und Wetter die Schmach wieder von mir abgewaschen hatten. In dieser Zeit schliffen sich meine Kanten langsam ab und ich sank tiefer in den Boden ein, was mir sehr recht war, da ich nicht gern im Wege liege.

Den nächsten Ärger hatte ich mit einem Bären, der einen Hasen jagte und im Eifer der Jagd so heftig über mich stolperte, dass er noch einige Meter weit bäuchlings durch das Gras schlitterte.

Was dieser Bärenlümmel mir für Namen gab, wage ich nicht einmal dem rohesten und ungeschliffensten Gebirgsbrocken zu erzählen. »Du hingeflegelter Urzeit-Dreck« war noch der mildeste Ausdruck.

Geduldig, wie wir Steine sind, hörte ich mir alles an, gab keinerlei Antwort und regte mich äußerlich kein bisschen; innerlich aber regten die Beleidigungen mich schrecklich auf. Noch Jahrhunderte

später wurde ich vor Scham zeitweilig zu Rotsandstein, wenn ich daran dachte, wie dieser Rüpel von Bär mich genannt hatte.

Aber die Zeit heilt auch bei Steinen Wunden. Seit über hundert Jahren liege ich mit rundem Buckel und ausgeglichenem Gemüt sanftmütig in der Gegend herum, lasse Blindschleichen über mich hinweggleiten, Hasen auf mir Ausschau halten und Katzen sich auf mir sonnen. Meine Seelenruhe ist wiederhergestellt durch ein Pferd.

Und das kam so: Vor mehr als hundert Jahren fand in meiner Nähe eine Schlacht statt. Ich hörte Schreie, Schüsse und Pferdegetrappel und plötzlich hielten einige Reiter in meiner Nähe. Sie trugen prächtige Uniformen, beobachteten aufmerksam das Schlachtgetümmel und wandten sich mit großer Ehrerbietung immer wieder an einen kleinen dicklichen Reiter, dessen Gesicht ein großer Hut beschattete. Das Pferd dieses Reiters tänzelte unmittelbar neben mir nervös auf sehr schlanken Beinen. Plötzlich trat es mit einem Bein versehentlich auf meinen Buckel und fing zu schwanken an, sodass der Reiter ebenfalls schwankte und vom Sattel zu fallen drohte.

In diesem Augenblick pfiff eine Kugel über den Kopf des Pferdes hinweg. Diese Kugel hätte den Reiter unfehlbar getroffen, wenn er sich nicht dadurch, dass das Pferd schwankte, zur Seite geneigt hätte.

Die anderen Herren riefen erschrocken: »Sire, seid Ihr verletzt?«

Da lachte der Reiter, zeigte auf mich und sagte: »Dieser Stein, meine Herren, hat mein Pferd und mich ins Schwanken gebracht.

So hat die Kugel mich verfehlt. Lernen Sie daraus, dass auch Steine des Anstoßes zuweilen hilfreich und nützlich sein können.«

Da rissen die Reiter ihre Hüte von den Köpfen und riefen: »Lang lebe Napoleon, der Kaiser der Franzosen!«

Ich aber wusste nun, was für ein großer Mann mich kleinen Stein gerechtfertigt hatte, als sein Pferd versehentlich auf meinen Buckel getreten war.

Seitdem können weder Saurier noch Bären mich erschüttern. Im Bewusstsein meines Wertes buckele ich mich ruhig den nächsten Jahrhunderten entgegen.

Mein Urgroßvater und ich schämten uns nach dieser hübschen Geschichte insgeheim, weil wir uns nur mit seufzender Überheblichkeit dazu herabgelassen hatten, Tante Julie zuzuhören. Nun mussten wir zugeben, dass die Geschichte uns gefiel und dass es sogar eine besonders nette Denkmalsgeschichte war. Als wir ihr das sagten, strahlte sie über das ganze Gesicht und meinte: »Vielleicht ist der Stein sogar ein Held. Oder nicht?«

»Es gibt auch Helden des Erduldens, Julie«, antwortete mein Urgroßvater. »Es gibt Heldentaten, die darin bestehen, dass man das, was man tun möchte, eben doch nicht tut. Es kann heldenhaft sein, auf eine Heldentat zu verzichten, weil sie nur Ruhm einbringt, aber weiter nichts. Es gehört Mut dazu, den Ruf des Feiglings auf sich zu nehmen, weil man unnütze Heldentaten klug vermeidet. Ich könnte die Geschichte eines Mannes erzählen, der zwar kein Held war, aber klug vermied, sich in einen sogenannten heldenhaften Kampf einzulassen, ohne dass er deshalb ein Feigling war. Die Geschichte passt sogar zu unserem Thema, weil darin einer Wildsau ein Denkmal gesetzt wird.«

»Einer Wildsau?«, riefen Tante Julie und ich fast gleichzeitig.

»Ja, einer Wildsau«, lächelte der alte Boy und dann erzählte er uns:

Wie die Wildsau in das Wappen derer zu Bingenbach kam

Irgendwo am Rhein kann man über dem Portal einer Bergruine ein in Stein gehauenes Wappen sehen, das eine Wildsau unter einer Lilie zeigt. Es ist das Wappen derer zu Bingenbach, eines heute ausgestorbenen Geschlechts.

Die Bingenbachs waren Ritter, die für ungewöhnlich friedlich galten. Deshalb hatten sie ursprünglich auch nur die Lilie, ein friedfertiges Symbol, in ihrem Wappen. Aber sie lebten leider im Zeitalter der Raubritter und niemand kann bekanntlich in Frieden leben, wenn es dem bösen Nachbarsritter nicht gefällt. So waren auch die zu Bingenbach mit einer höchst üblen Nachbarschaft geplagt, den rauflustigen Trutzen zu Trutz, die Schultern wie Schränke, Hände wie Teller, Spaß an Gelagen, aber fast keinerlei Vermögen hatten.

Die Burgen derer zu Bingenbach und der Trutze zu Trutz grüßten einander über eine tiefe Talsenke hinweg; doch irgendwelchen freundschaftlichen Verkehr zwischen den Insassen der Burgen gab es nicht. Selbst bei der Jagd in den Wäldern ringsum kam es zu keiner Begegnung bis zu jenem milden Sonntag im September, der schuld daran war, dass die Wildsau in das bingenbachsche Wappen kam.

An jenem Sonntag ritt der alte Bruno Ritter zu Bingenbach mit nur drei Leuten auf die Jagd. Sein Sohn hatte den Alten vergeblich gebeten, ihn mitreiten zu lassen. »Es könnte sein«, hatte er warnend zum Vater gesagt, »dass du den Trutzen begegnest. Dann brauchst du Schutz und Hilfe, Vater. Du bist der Jüngste nicht mehr.«

Aber Ritter Bruno hatte lächelnd abgewehrt. »Ich weiß mich meiner Haut noch zu wehren«, hatte er gemeint und die seltsame Bemerkung hinzugefügt: »Mariechen ist ja bei mir.«

Also ritt er nun, von nur drei Leuten begleitet, in den Wald und führte an einer langen goldenen Kette Mariechen mit, ein zahmes Wildschwein, das er vier Jahre zuvor krank im Walde gefunden

und auf der Burg gesund gepflegt hatte. Die Wildsau Mariechen war so zahm wie ein Hund und kannte kein größeres Vergnügen, als mit zur Jagd genommen zu werden. Wie sie den Ritter allerdings vor den wilden Trutzen zu Trutz schützen sollte, war niemandem klar als höchstens dem Alten selbst.

Als Ritter Bruno an diesem Sonntage wie üblich mit seiner Begleitung auf dem Luginsland, einer vorspringenden Felsnase am Waldrand, verhielt, sah er sich plötzlich und ganz unvermittelt den Trutzen zu Trutz gegenüber, allen vier Brüdern, die mit großem Gefolge und einer Hundemeute genau auf den Luginsland zuhielten.

»Das geht nicht gut, Herr!«, sagte ein Knappe erschrocken. »Die werden uns herausfordern und mit uns kämpfen wollen. Ihr kennt die Trutze! Die scheren sich nicht um Recht noch Ritterregel. Sie werden sich ein Vergnügen daraus machen, den Herrn des Hauses Bingenbach in ihr Turmverlies zu werfen. Fliehen wir!«

Der alte Bingenbach, der unbeweglich den heranreitenden Trutzen entgegenblickte, erwiderte ruhig, die Trutze hätten schnellere Pferde. Fliehen sei unmöglich. Auf einen Kampf wolle er es aller-

dings auch nicht ankommen lassen, fügte er hinzu. Jetzt sei Mariechen seine einzige Rettung.

Ohne weitere Erklärung stieg der Alte vom Pferde, kettete Mariechen los, die hinter einem wilden Brombeerbusch den Augen der Trutze verborgen war, und sagte: »Spiel ein bisschen Jagd, Mariechen! Dahinten …« Er zeigte auf die Trutze. »… dahinten sind deine Jäger!«

Die Wildsau, die tatsächlich mit dem Ritter zuweilen Jagd gespielt und sich, ohne Schaden zu nehmen, hatte hetzen lassen, brach sogleich aus dem Gebüsch vor und raste im Angesicht der heranreitenden Jagdgesellschaft quer übers freie Feld.

Da kam plötzlich Bewegung in die Kolonne der Trutze zu Trutz. Hörner schallten, Hunde kläfften, Sporen bohrten sich in Pferdeflanken und die ganze Gesellschaft änderte die Richtung und hetzte hinter Mariechen her.

Den Trutzen zu Trutz, das wusste der alte Bingenbach, ging nichts über die Sauenjagd. Ihre Leidenschaft, Wildsäue zu jagen, hatte den Sauenbestand in diesen Wäldern schon so gelichtet, dass es allmählich schwierig geworden war, überhaupt noch eine Wildsau aufzustöbern. So war das wohlgenährte Mariechen, das da über das Feld in den Wald sauste, eine willkommene Beute für die Trutze. Sie stoben samt allen Hunden und Helfern hinter der Sau her und der alte Herr zu Bingenbach konnte, ohne sich sonderlich zu eilen, heimreiten auf seine Burg.

Hier erzählten die Knappen des Langen und Breiten, was geschehen war, und nun war jedermann in der Burg klar, warum Ritter Bruno zur Jagd stets das Mariechen mitgeführt hatte.

Drei Tage lang wartete man, ob die zahme Wildsau aus den Wäldern heimkehren werde; aber man wartete vergeblich. Noch am nämlichen Tage, an dem Mariechen dem Ritter Bruno zu Bingenbach das Leben gerettet hatte, war das arme Tier von den Trutzen zu Trutz und ihren Gästen am Spieß gebraten und verzehrt worden.

So beschloss Bruno Ritter zu Bingenbach, der Wildsau aus Dankbarkeit ein kleines Denkmal zu setzen: Er nahm sie in sein Wappen auf. Und wer will, kann heute noch am Portal einer Bergruine irgendwo am Rhein das aus Stein gehauene Wappen sehen, das unter einer Lilie eine Wildsau zeigt.

Tante Julie hatte mit großen Augen wie ein kleines Mädchen der Geschichte gelauscht.

Nun fragte sie, wer eigentlich der Held der Geschichte sei, der Ritter oder die Wildsau.

»Für meinen Geschmack«, sagte ich, »war es der Ritter, der auf die sogenannte Ritterehre pfiff, als er absichtlich den Raufhandel mit den Ellenbogen-Rittern vermied.«

»Für meinen Geschmack war es das Wildschwein, das für den Ritter sein Leben ließ«, sagte Tante Julie.

Mein Urgroßvater gab keinem von uns recht. »Der Ritter war ein kluger und besonnener Mann«, sagte er, »doch ein Held war er nicht. Die Wildsau aber rettete dem Ritter das Leben, ohne es zu wissen. Sie glaubte, alles sei wie oft zuvor ein Spiel. Sie hat sich nicht geopfert. Es war für sie ein Unglücksfall. Bei Unglücksfällen aber gibt es keine Helden. Erst hinterher, beim Retten, kann es Helden geben. Ich kenne solch einen Fall. Aber den möchte ich eigentlich als Ballade vortragen. Wie wäre es, wenn wir zu dritt ein bisschen dichteten?«

»Aber Sandmann kocht heute Kabeljau mit Leber!«, rief die Tante. »Er zündet vor Wut das Haus an, wenn ich nicht rechtzeitig zum Essen komme.«

Tatsächlich stand Tante Julie seit Jahren unter der Fuchtel ihres häuslich-praktischen Findelsohnes. Aber ich hatte immer das Gefühl, dass sie selbst es so wollte. In diesem Fall konnten wir sie im Übrigen beruhigen, da in ihrem Hause spät zu Abend gegessen wurde und wir bis dahin noch Zeit genug hatten. So ließ sie sich denn zum Dichten überreden und ich holte eine Tapetenrolle.

Die Tante bestand allerdings darauf, ihre Verse in das mitgebrachte rote Notizbuch zu schreiben, erstens, weil sie daran gewöhnt sei, zweitens, weil ihr winziger Drehbleistift auf dem rauen Tapetenpapier kaum Spuren hinterlassen würde, wie sie sagte. Das sahen wir ein. Außerdem hatten wir Männer mehr Ellenbogenfreiheit, wenn die Tante ihr Notizbuch bekritzelte.

Was wir dichten wollten, blieb jedem freigestellt, nur mussten es Verse über irgendeine Art von Denkmal sein. Das machten wir zur Bedingung.

Leider war es nicht ganz einfach, mit Tante Julie zusammen zu

dichten. Sie war als Dichterin sozusagen ein Theatertalent. Ständig murmelte sie vor sich hin, trommelte im Takt ihrer Verse auf den Notizbuchdeckel, zählte die Silben an ihren Fingern ab und rutschte auf der Ottomane hin und her, als sitze sie bei hohem Seegang in einem Schiffssalon. Als ich einmal nach dem Ofen sah, wollte Tante Julie sofort ein Gespräch mit mir anfangen, aber ich gab, in Gedanken an meinen Versen spinnend, so einsilbige Antworten, dass sie sich seufzend wieder in ihre Notizen vertiefte.

Als wir beiden Männer schließlich kurz nacheinander aufatmend die Zimmermannsbleistifte hinlegten, war Tante Julie mit ihrem Gedicht immer noch nicht zurande gekommen. Deshalb boten wir an, ihr gemeinsam bei der Schlussstrophe zu helfen. Aber sie wollte ihr Gedicht allein zu Ende bringen und schließlich konnte auch sie ihren kleinen Drehbleistift beruhigt ins Futteral stecken.

»Wir lassen unserem Besuch natürlich den Vortritt«, sagte mein Urgroßvater und also las Tante Julie aus ihrem roten Büchlein das Gedicht vor. Es lautete:

Die Münzen mit dem Nerokopf

Man kann zuweilen Münzen finden
Mit Kaiser Neros Kopf und Haar,
Die nach Jahrtausenden noch künden
Vom Kaiser, der so grausam war.

Von ihm, bei dem die Köpfe rollten,
Als wäre weiter nichts geschehn,
Von ihm, dem mancher Fluch gegolten,
Kann man den Kopf noch heute sehn.

Glaubt aber nicht, die Welt bewahre
Zum Ruhme dieses Angesicht

Mit einem Lorbeerkranz im Haare.
So dumm ist auch die Nachwelt nicht.

Man braucht nicht lange zu erwägen,
Weshalb man solche Münzen nahm:
Der Kaiser selber ließ sie prägen,
Als er zu Macht und Herrschaft kam.

Ein Markstück, dachte er, ihr Leute,
Das überdauert lange Zeit,
Und wirklich hat der Kerl noch heute
Für eine Mark Unsterblichkeit.

Mein Urgroßvater sagte: »Vorzüglich, Julie, ganz vorzüglich! Du bist ja eine richtige Dichterin!«

»Aber ich kann es noch nicht so schnell wie ihr«, wehrte die Tante ab.

»Um Gottes willen, Tante Julie, es kommt beim Dichten doch nicht auf Schnelligkeit an!«, rief ich. »Ob man an einem Gedicht eine Viertelstunde oder ein Vierteljahr herumbastelt, ist vollkommen egal. Wichtig ist, dass es am Ende eine ordentliche Sache ist.«

»Und dein Gedicht, liebe Julie, ist eine ordentliche Sache«, ergänzte mein Urgroßvater.

»Nur über Helden gibt es keine Auskunft, meine Herren!«

»Doch, Tante Julie! Es zeigt, dass ein Denkmal noch keinen Helden macht. Habe ich recht, Urgroßvater?«

»Ja, Boy, du hast recht. Und jetzt sind wir gespannt auf dein Gedicht. Wie heißt es?«

»Der Glöckner und der General.«

»Dann lies es uns vor!«

Ich tat es und las:

Der Glöckner und der General

Dem General, der eine Stadt genommen,
Hat man ein Denkmal dankbar hingestellt.
Doch weiß kaum einer, wie es ist gekommen,
Dass man ihn lobt als Sieger und als Held.

Sein Adjutant hat lange Zeit gezaudert,
Die Wahrheit zu berichten. Aber dann
Hat er an einem Abend ausgeplaudert,
Wie man in Wirklichkeit die Stadt gewann.

Vor jener Stadt mit mehr als hundert Türmen
Gab sein gestrenger Chef die Weisung aus,
Sie ohne Rücksicht auf Verlust zu stürmen
Und zu erobern, notfalls Haus für Haus.

Ein Untergebener jedoch, ein kleiner
Buckliger Glöckner, sagte: »Exzellenz,
Wenn Ihr jetzt stürmt, dann überlebt nicht einer!
Die Zahl der Wächter ist hier ganz immens.

Auf allen Türmen halten Glöckner Wache.
Und ein Gewehr ist hier in jedem Haus.
In dieser Stadt der Türme geht die Sache
Für den Eroberer stets blutig aus.«

»Wie?«, rief der General. »Die Wächter hocken
Auf den verfluchten Türmen Tag und Nacht?
Kann man sie nicht von dort herunterlocken?«
»Das, Exzellenz, hab ich schon klug bedacht:

Ein Glöckner, der da oben wacht und lauert,
Verlässt den Turm-Ausguck in einem Fall:
Wenn dieses Land um seinen König trauert.
Dann nämlich braucht man großen Glockenschall.«

»Potz!«, rief der General. »Soll ich hier warten,
Bis dass der König stirbt, mein lieber Mann?
Meinst du, ich leg inzwischen einen Garten
Mit Weißkohl oder Runkelrüben an?«

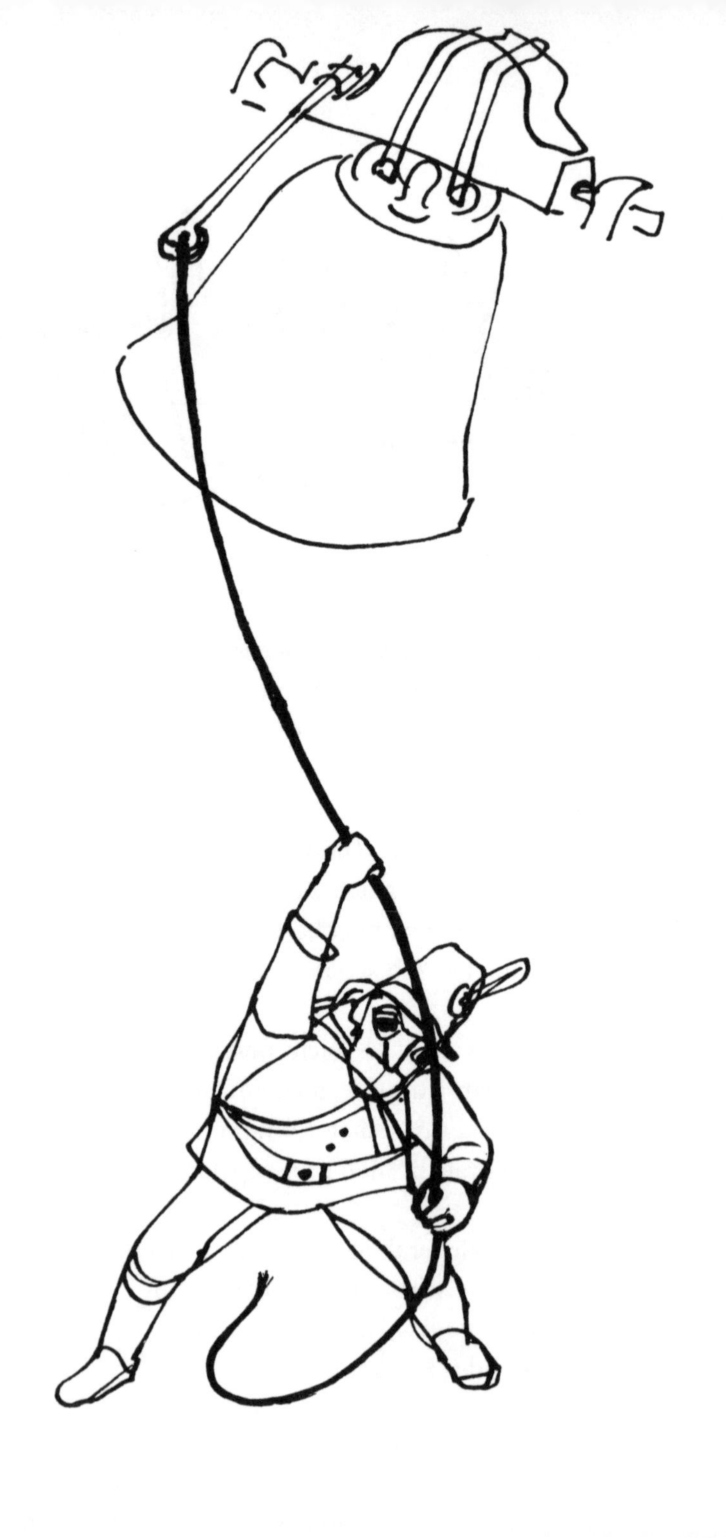

»Nein, Exzellenz, Ihr wartet nur ein wenig!«,
Versetzte da der Glöckner. »Schickt mich hin.
Dann läute ich, gestorben sei der König.
Das kann ich, weil ich selber Glöckner bin.

Und läuten alle Glocken von den Türmen
Und keine Wache schaut nach Feinden aus,
Könnt Ihr die Stadt mit Euren Leuten stürmen,
Und Ihr zieht sicher siegreich heim nach Haus.«

Der General sprach: »Lasst uns das probieren!«
So schlich der kleine Glöckner in die Stadt,
Die erst von einem, dann von dreien, vieren
Und bald von jedem Turm geläutet hat.

Da hat der General die Stadt genommen.
Die war erobert vor dem Abendrot.
Der General ist siegreich heimgekommen.
Den kleinen Glöckner schoss man leider tot.

Tante Julie seufzte vernehmlich nach meiner Vorlesung. »Armer kleiner Glöckner!«, seufzte sie. »Er war ein Held, aber das Denkmal bekam der General.«

»Ich weiß nicht«, meinte nachdenklich mein Urgroßvater, »ob dieser kleine Glöckner ein Held war. Er half irgendeinem Fürsten irgendeine Stadt erobern und kam dabei um, ohne dass ein Hahn nach ihm gekräht hätte. Was gingen denn diesen kleinen Mann die Händel der Großen an? Es war nicht seine Sache. Zu jener Zeit tanzten die Großen, Reichen und Mächtigen auf dem Rücken der armen Leute herum. Dumm, wenn ein armer Mann ihnen half. Für ungerechte Sachen sterben Helden nicht.«

»Dann kann ich nur hoffen ...« Die Tante seufzte wieder. »... dass wenigstens in deinem Gedicht ein Held vorkommt.«

»Hör dir das Gedicht an, Julie!«

Der alte Boy beugte sich vom Rollstuhl aus über die Tapete auf dem Tisch und las:

Der Metzger und die Kindergärtnerinnen

Einst stand der Metzger Waldemar
In seinem Schlachthaus drinnen;
Da nahten, hübsch in einer Schar,
Sechs Kindergärtnerinnen.

Sie kamen an im Trippeltrab
Mit Kichern und mit Lachen.
Der Metzger stach ein Ferkel ab,
Wie es die Metzger machen.

Da fingen alle an zu schrein.
Es schlugen wie von Sinnen

Auf den verdutzten Metzger ein
Sechs Kindergärtnerinnen.

Sie riefen: »Roher Rüpel, Sie,
Wie kann man sich erfrechen,
Vor unsrem Blick das arme Vieh
So grausam abzustechen!«

Der Metzger, solcherart verhöhnt,
Enteilte flugs von hinnen.
Der Mann war leider nicht gewöhnt
An Kindergärtnerinnen.

Doch rief er noch: »Mit viel Genuss
Pflegt Schinken ihr zu essen.
Doch dass man vorher schlachten muss,
Das habt ihr, scheint's, vergessen!«

Seit diesem Tag hielt Waldemar
Nichts von Besucherinnen,
Weil er so furchtbar wütend war
Auf Kindergärtnerinnen.

Doch eines Abends ging er aus
Zu seiner alten Tante
Und kam vorbei an einem Haus,
Das balkenkrachend brannte.

Das Feuer zischt, es heult der Wind.
Man weiß nicht, was beginnen;
Denn irgendwo im Hause sind
Sechs Kindergärtnerinnen.

»Verdammt noch mal!«, ruft Waldemar.
»Die kleben wie die Kletten
Zusammen, selbst in der Gefahr.
Man muss die Mädchen retten!«

Er starrt und horcht, er guckt und flucht.
Dann, ohne viel Besinnen,
Springt er ins Flammenhaus und sucht
Nach Kindergärtnerinnen.

Im Wasch- und Dusch- und Badesaal,
Da stehn sie, eng zusammen,
Und glauben, dass ein Wasserstrahl
Sie schütze vor den Flammen.

Da brüllt der Metzger Waldemar:
»Verflucht, seid ihr von Sinnen?«
Und staunend starrt ihn an die Schar
Der Kindergärtnerinnen.

»Hinaus!«, schreit Waldemar. »Hinaus!«
Sein Zorn und seine Schreie,
Sie treiben durch das Treppenhaus
Die Mädchenschar ins Freie.

Sie hatten Glück: Durchnässt und schwach
Entkamen sie den Flammen.
Gleich hinter ihnen aber brach
Das ganze Haus zusammen.

Als Letzter kam, mit knapper Not,
Auch Waldemar von hinnen.
So rettete er vor dem Tod
Sechs Kindergärtnerinnen.

Tante Julie und ich hatten nicht den geringsten Zweifel, dass dieser Metzger Waldemar mit Fug und Recht ein Held genannt werden könnte. Er war sogar ein Held mit Zähneknirschen, weil er sein Leben riskierte für Menschen, die er nicht mochte.

Mein Urgroßvater sagte, er habe Helden, die sich zu ihrer Tat erst überwinden müssten, besonders gern. »Sie packen das, was sie tun, wie eine bittere, aber notwendige Aufgabe an«, meinte er. »Deshalb spricht man bei Herkules auch oftmals nicht von den Taten, sondern von den Arbeiten des Herkules.«

Tante Julie stimmte ihm zu. »Einmal hat er sogar anstelle von Atlas die Erdkugel getragen«, sagte sie. »Das ist wahrhaftig eine Arbeit gewesen!«

Offensichtlich wollte sie noch weiter über Herkules reden, aber ein Blick auf ihre Armbanduhr hielt sie davon ab. Sie müsse jetzt, sagte sie, unbedingt nach Haus, sonst gäbe es Krach mit Sandmann, und Krach im Haus sei ihr lästig.

»Merkwürdig«, murmelte mein Urgroßvater, »immer wenn wir über Herkules sprechen, wird unser Gespräch unterbrochen.«

Die Tante, die sich schon den Mantel anzog, sagte: »Das macht nichts. Die Taten des Herkules sind sowieso ein unerschöpfliches Thema.«

»Das, liebe Julie, stimmt!«, lachte der alte Boy und dann brachte ich, da ich nun wieder gut zu Fuß war, die Tante hinunter ins Erdgeschoss.

Unten wären wir fast mit der Obergroßmutter zusammengestoßen, die, das Tablett mit dem Abendbrot vor dem Bauch, aus der Küche kam.

»Haben Sie sich von den Männern Gedichte vorlesen lassen?«, fragte sie Tante Julie.

»Nein«, sagte die Tante, »ich habe mit ihnen zusammen gedichtet!«

»Waas?« Die Obergroßmutter ließ vor Staunen beinahe das Tablett fallen. »Sie haben mit den Männern zusammen gedichtet?«

»Gewiss«, lachte die Tante.

»Über Helden, Tante Julie?«

»Ja, Frau Margaretha, über Helden und Denkmäler.«

Die Obergroßmutter stand mit dem Tablett in den Händen jetzt selber wie ein Denkmal da. Als ich ihr sicherheitshalber das Tablett abnahm, sagte sie: »Dass die Dichter jetzt schon Hausfrauen und Mütter anstecken, finde ich unerhört! Die Welt ist doch kein Geschichtenbuch. Dafür ist das Leben viel zu ernst.«

»Aber Sie haben doch, wie ich hörte, auch gedichtet«, sagte die Tante.

»Ja, zu einem Fest!«, erklärte die Obergroßmutter. »Zu Festen gehören Gedichte; aber Alltag ist Alltag und Sonntag ist Sonntag!«

»Wie gut, dass mein Sohn für mich kocht!«, rief Tante Julie. »So kann ich alltags Sonntag spielen und mit Dichtern dichten. Gute Nacht zusammen!«

Sie schlüpfte flink zur Haustür hinaus, ehe meine empörte Obergroßmutter etwas erwidern konnte. So schnaufte unsere gute Alte nur mich an.

»Sitten sind das«, rief sie, »Sitten! Trag das Tablett gefälligst selber auf den Speicher!« Dann verschwand sie in der Küche.

Ich aber trug unser Abendessen nur allzu gern auf den Speicher. Ich fürchtete nämlich, der Urgroßvater sei allein nicht in der Lage, die Tapetenrolle verschwinden zu lassen.

Aber als ich im Speicherzimmer ankam, war von den Tapeten nichts mehr zu sehen. Erst als ich mich setzte und es unter mir knisterte, merkte ich, dass der Alte die Rolle unter Kissen geschickt versteckt hatte. Also trug ich die bereimte Tapete wieder hinaus, damit auch die Obergroßmutter ihr heimliches Vergnügen an den Versen habe.

Unter dem Abendessen sagte der alte Boy, Tante Julie habe zweifellos Talent zum Dichten. »Wenn ich einmal nicht mehr da bin, Boy, üb dich mit ihr in dieser Kunst.«

»Aber, Urgroßvater«, sagte ich, »mit deinem Rollstuhl wirst du glatt hundert Jahre alt und bis dahin haben wir noch viel Zeit.«

»Niemand weiß jemals, wie viel Zeit er noch hat, Boy. Das ist es ja, was, im Vertrauen gesagt, das Leben so spannend macht. So, und jetzt hab ich genug gegessen. Ich schleich mich ins Bett. Du könntest mich ein bisschen unterstützen.«

Da half ich dem Urgroßvater hinunter in den ersten Stock und er zog auf der Stiege wieder einmal die Summe dieses Tages. Er sagte: »Über Denkmäler haben wir heute eine Menge erfahren, über Helden wenig. In Stein und Bronze, Boy, ehrt man so viele falsche Helden. Die wahren Heldentaten schielen nicht nach Ruhm. Ihr Denkmal ist, dass dankbare Menschen sich ihrer erinnern.«

Wir waren vor dem Schlafzimmer meines Urgroßvaters angekommen. Er wünschte mir eine gute Nacht.

Ich wünschte ihm ebenfalls eine gute Nacht und ging bald darauf selber schlafen.

Ich hörte noch, dass jemand sich auf den Speicher schlich, und ich war sicher, dass es sich um die Obergroßmutter handelte, die auf unsere Gedichte neugierig war, aber leider war ich zu müde, um aufzustehen und sie zu überraschen.

Der bringe ich schon noch bei, dass wir ihrem Nachspionieren auf die Schliche gekommen sind, dachte ich.

Dann fielen mir die Augen zu.

Der Samstag, an dem ich eine Heldentat zu tun glaube und an dem im Hause doppelte Aufregung herrscht. Enthält eine Geschichte von der Obergroßmutter und eine von Onkel Harry, erzählt die blutigste Geschichte des ganzen Buches und endet mit sehr großer Müdigkeit.

Der Samstag

Es ist seltsam, dass Leute, die über Helden reden oder nachdenken, am Ende nicht nur mit dem Kopf, sondern sozusagen auch mit dem Bauch denken. Vielleicht liegt es daran, dass Heldentaten (das Wort sagt es) aus Tun bestehen. Sicherlich ist das, was man vorher denkt oder entscheidet, wichtig; aber das Allerwichtigste bleibt doch, die Tat zu tun und durchzustehen.

Auch ich zwölfjähriger Heldenforscher hatte am Samstagmorgen, an dem ich früh erwachte, den Drang zu einer Heldentat. Ich beschloss, irgendetwas Heldenhaftes zu tun und meinem Urgroßvater hernach davon zu berichten. Ich hatte auch schon einen Plan. Noch bevor das Frühstück eingenommen wurde, schlich ich mich aus dem Haus, lief in die Windstraße, in der Jonny Flöter wohnte, und pfiff unter seinem Fenster unser altes Signal, die Anfangstakte des Liedes: »My Bonny is over the ocean ...« (Wir mochten das Lied, weil der englische Text so kurz war und unsere spärlichen Englischkenntnisse dafür gerade ausreichten.)

Aus unerfindlichen Gründen – vielleicht lag es am Wetter – war Jonny an diesem Samstag ebenfalls früher aufgewacht als sonst. Er stieß nach erstaunlich kurzer Zeit die Fensterflügel auf und fragte: »Was ist denn?«

»Ich will heute am Kabel runterklettern, Jonny«, sagte ich und in meiner Kehle kullerte es ein bisschen, als ich sprach.

Jonny rief nur: »Waaas? Bei dem Wind?«

»Gerade deshalb!«, antwortete ich tapfer.

Da schlug das Fenster wieder zu und kurze Zeit danach war Jonny, ungewaschen und mit wirrem Haar, bei mir. Er sagte nur: »Gehen wir!« Aber für mich war es, als sage der Henker zum Verurteilten: »Darf ich zum Galgen bitten?« Das Herz rutschte mir in die Knie.

Zwischen dem Planen und dem Ausüben einer Heldentat, das lernte ich an diesem Morgen, tut sich eine tiefe Schlucht auf, die überwunden werden muss. Was ich mir vorgenommen hatte, kam mir jetzt, da ich neben Jonny durch den Wind stapfte, wie ein Wahnsinn vor.

Es handelte sich darum, dass an der Nordseite der Insel, die an dieser Stelle wohl sechzig Meter hoch ist, ein Kabel aus dem Felsen hing und dass man sich an dem Kabel bis zur Mole am Meer hinunterhangeln konnte, falls man genügend Mut besaß und obendrein genügend Geschicklichkeit, das Kabel überhaupt zu erreichen; denn erst zehn oder zwölf Meter unterhalb der Felskante hing es aus dem roten Felsstein heraus. Obendrein war es im Augenblick vereist. Alle Jungen meines Alters träumten davon, in der gefährlichsten Zeit, also bei Frost und Wind, am Kabel hinunterzuklettern; aber keiner hatte es bisher gewagt.

Nun wollte ich als Erster diesen verrückten Abstieg versuchen. Doch als ich neben Jonny über den Felsrand lugte und sah, wie erschreckend weit unten das Kabel begann, verlor ich den Mut. Ich wollte mit den Worten meines Urgroßvaters sagen: »Sein Leben sinnlos aufs Spiel setzen macht noch keinen Helden!« Aber ich war ein Junge, der auch für Heldentaten ohne Sinn entflammbar war. Außerdem stand Jonny neben mir wie ein Ausrufezeichen hinter dem unausgesprochenen Satz: »Du tust es ja doch nicht!«

Also tat ich es. Man frage nur nicht, wie; denn das weiß ich heute selbst nicht mehr. Ich weiß nur, dass ich niemals einen Blick nach unten wagte, dass ich die Schuhspitze auf keinen Felsvorsprung setzte, den ich nicht vorher gründlich abgetastet hatte, dass ich mich mit den Fingern nur an Stellen festhielt, an denen ich vorher heftig gerüttelt hatte und dass ich plötzlich den Anfang des Kabels in Händen hielt.

Das Hinunterhangeln danach war der weniger schwierige Teil. Die Fingerhandschuhe aus Wolle, die ich trug, klebten, weil es scharf fror, am Eis des Kabels fest, und ich musste sie immer wieder mit einiger Gewalt lösen. Das Festkleben war aber zugleich eine Art Sicherheit für mich. Es hinderte mich, womöglich einfach am Kabel hinunterzurutschen. So kletterte ich, die Füße gegen den Felsen gestemmt, Hand unter Hand hinunter, bis ich auf das Geröll am Fuß des Felsens springen und danach auf die Mole steigen konnte. Die sogenannte Heldentat lag hinter mir und von oben hörte ich Jonny Flöter pfeifen: »My Bonny is over the ocean …«

Ich winkte ihm, ebenfalls herunterzukommen. Aber er tippte sich an die Stirn und machte mit beiden Armen Zeichen, dass wir uns auf halbem Wege, also etwa auf der Treppe vom Unterland zum Oberland, treffen sollten. Also marschierte ich, unser Lied pfeifend, die Mole entlang, an die das Meer schäumte, fühlte mich unbändig stolz, durchschritt das Unterland, als sei ich Herkules, der den Kerberos hinter sich herschleift, und fiel aus allen Wolken, als Jonny Flöter mir am Fuße der Treppe sagte: »Solche Verrücktheiten bringst auch nur du fertig! Wärst du kein Dichter, wärst du abgestürzt!«

Die Bemerkung brachte mich völlig aus dem Gleichgewicht. Ich hatte geglaubt, von einem Heldenforscher, der Geschichten über Helden erzählt, zu einem Helden geworden zu sein, der Heldentaten tut. Stattdessen sagte mir dieser Knabe ins Gesicht, nur jemand, der spinne, könne solch eine spinnöse Heldentat vollführen. Das war, schien mir, der Gipfel der Frechheit.

Ich antwortete Jonny nur: »Mach's doch nach!« Dann hastete ich, immer eine Stufe überspringend, hinauf ins Oberland und in die Trafalgarstraße, um meinem Urgroßvater Bericht zu erstatten. Dass ich seit der kleinen Operation an der Ferse zum ersten Mal wieder rennen konnte, merkte ich vor Aufregung gar nicht.

Im Haus herrschte ebenfalls Aufregung, und zwar gleich eine doppelte, durch die mein Fehlen beim Frühstück zu einer Nebensache geworden war. Unten im Parterre fuhrwerkte die Obergroßmutter aufgeregt herum, weil unser Kutter angeblich von Hamburg zurückkam. Broder Janssen behauptete, ein erbsengroßer Punkt am Horizont sei unser »Insulaner«. So nahm ich mir, um unserer wild werkelnden Alten zu entkommen, in der Küche ein Wurstbrot und verzog mich zum Urgroßvater auf den Speicher.

Aber auch der große Boy war aufgeregt, wenn es bei ihm auch eine Aufregung mehr geistiger Art war. Er schwenkte eine Tapetenrolle, deren violette Rosen mir nie so heftig in die Augen gefallen waren wie diesmal, und rief: »Die Welt steht kopf, Boy! Ich kenne mich überhaupt nicht mehr aus. Deine Obergroßmutter schreibt Geschichten auf Tapetenrückseiten. Was sagst du dazu?«

Ich sagte zuerst gar nichts, weil meine eigene Aufregung über Jonny Flöter und die Kabelkletterei durch die Aufregung des Urgroßvaters sozusagen abgewürgt worden war. Dann fragte ich gelassen: »Warum soll die Obergroßmutter keine Geschichten auf Tapeten schreiben, Urgroßvater?«

»Warum, Boy?«, rief der Alte entrüstet. »Weil die Welt dann aus den Fugen gerät! Wenn wir Dichter Tapetenrückseiten bekritzeln, dann ist das unser eigenes Risiko und, wenn man so will, unsere poetische Verrücktheit. Aber Obergroßmütter, die für Schicklichkeit und Ordnung zu sorgen haben, sind verpflichtet, gegen das rückwärtige Beschreiben von Tapeten zu protestieren! Das verlange ich von ihnen, Boy! Wer soll denn sonst noch Ordnung halten? Die Dichter vielleicht? Das würde eine konfuse Welt, mein Lieber!«

Der alte Boy war ganz aus der Puste gekommen bei seinem Ausbruch. Deshalb sagte ich so behutsam wie möglich: »Die Obergroßmutter weiß doch längst, dass wir die Tapeten beschreiben, Urgroßvater. Trotzdem hat sie nicht protestiert.«

»Aber ich hatte angenommen, Boy, dass sie es nur mit äußerster Missbilligung duldet. Ich hätte nie geahnt, dass sie sich zu unserer Komplizin macht. Das geht doch nicht, Junge! Jemand im Hause muss sich doch noch an Gesetze halten! Wohin treiben wir denn, wenn die Hausfrauen Dichtermanieren annehmen?«

»Ins Uferlose, Urgroßvater.«

»Eben, Boy, eben! Die Sache mit der Tapete muss geklärt werden, sonst verstehe ich die Welt nicht mehr!«

Da die von der Obergroßmutter beschriebene Tapete den alten Boy so sehr aufregte, versuchte ich, ihn mit dem Hinweis zu beschwichtigen, die Tapete auf dem Speicher sei vielleicht ausrangiert und doch nicht für das Wohnzimmer bestimmt, wie wir angenommen hatten. »Ausrangierte Tapeten zu bekritzeln«, sagte ich, »verstößt gegen keinerlei Ordnung.«

Diese kleine Bemerkung beruhigte den aufgeregten Alten ganz plötzlich und unerwartet. Er sagte, fast heiter: »Malermeister Singer, dessen Tochter Carmen übrigens auch dichtet, hat gestern ein Tapetenalbum gebracht, Boy. Wozu aber braucht der Mensch ein Tapetenalbum?«

»Um neue Tapeten auszusuchen, Urgroßvater.«

»Eben dafür, Boy! Ich glaube fast ...« Der alte Boy sagte es beinahe selig. »... ich glaube fast, dass du recht hast und dass die Tapeten auf dem Speicher ausrangiert sind.« Triumphierend ergänzte er: »Schicklichkeit und Ordnung sind in der Trafalgarstraße wieder eingekehrt! Lass dir die Geschichte vorlesen, die deine Obergroßmutter auf ausrangierte Tapeten geschrieben hat.«

Er rollte vergnügt das geblümte Papier auf dem Tisch aus und las:

Die Geschichte vom übertölpelten Nussknacker

In einem ordentlichen Haushalt wirft die Hausfrau am Ende eines Tages immer noch einen letzten prüfenden Blick in jedes Zimmer. So war es auch in dem Hause, in dem unsere Geschichte spielt.

Als die Kinder schon in ihren Betten lagen und der Vater bei Freunden in der Nachbarschaft war, räumte die Mutter das Wohnzimmer auf und warf einige Nüsse, die noch auf dem Fußboden lagen, in die geräumige Schublade des großen Wohnzimmertisches. Dann warf sie den eisernen Nussknacker mit den scharfen Zähnen hinterher und schloss die Lade. »Wieder ein Tag zu Ende«, sagte sie aufatmend und ging in ihre Schlafkammer.

Es wurde still im Wohnzimmer. Und es war still in der Schublade. Der Nussknacker ruhte sich von seiner anstrengenden Tätigkeit aus und die Nüsse dösten vor sich hin. Ganz hinten in der Ecke lag die dicke Walburga, die natürlich eine Walnuss war. Neben ihr lag ihre Schwester Waltraud. Sie stammten beide von demselben Ast. Daher waren sie Schwestern.

Walburga stöhnte. Es sei, murmelte sie, wieder einmal ein anstrengender Abend gewesen. Beinahe wäre sie geknackt und gefressen worden. Im letzten Augenblick habe sie sich gerade noch zur Seite rollen können.

»Mich knackt so schnell keiner!«, piepste ihre Schwester Waltraud. »Ich bin so klein, dass ich bestimmt als Letzte gegessen werde.«

Dann schwiegen die beiden. Aber plötzlich horchten alle Nüsse erschrocken auf.

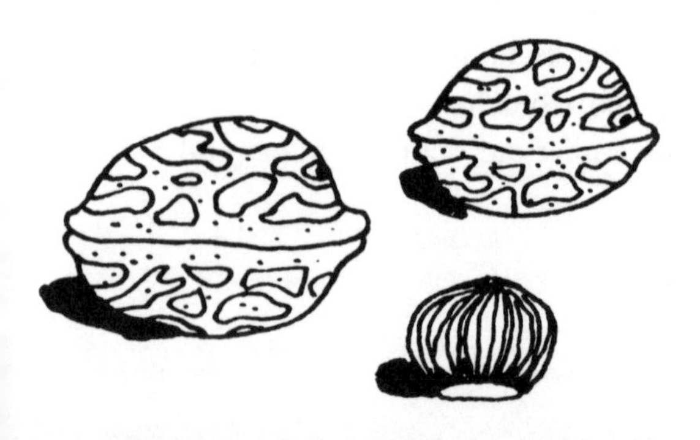

»Was ist das für ein Geräusch?«, fragte Mausi, die Haselnuss.

»Der Nussknacker knirscht mit den Zähnen«, erwiderte Mausis Kusine Susi, die von einem Nebenast abstammte. Die Nüsse lauschten.

Und da war das Geräusch wieder. Kein Zweifel, dass der Nussknacker seine Zähne wetzte. Er rekelte sich und brummte in seinen eisernen Bart: »Um zwölf Uhr, wenn ich lebendig werde, knacke ich alle Nüsse in dieser Schublade zu Grus und Mus. Es juckt mich schon in den Zähnen!«

Man kann sich vorstellen, wie die Nüsse nach diesen Worten zitterten. In zehn Minuten war es zwölf Uhr. Dann würde der grässliche Nussknacker sie alle zerknacken.

Ängstlich horchten sie auf das Ticken der Standuhr. Susi und Mausi schluchzten.

Nur die Nuss Walburga blieb ruhig wie immer und überlegte ebenso ruhig, wie man dem Nussknacker entkommen könne. Und ihr kam ein Gedanke.

»Schwestern, Kusinen und Haselnüsse«, rief sie halblaut, »ich habe einen Einfall! Kommt etwas näher! Damit uns der eiserne Alte nicht hört.«

Die Nüsse rollten, so gut es ihnen vor zwölf Uhr möglich war, in Walburgas Ecke.

Hier entwickelte die kluge Nuss ihren Plan. »Wenn es zwölf Uhr ist«, sagte sie, »rollen wir alle zusammen mit solcher Macht gegen das vordere Brett der Schublade, dass die Lade aufspringt.«

Die Nüsse jubelten. »Ein glänzender Einfall!«, riefen sie.

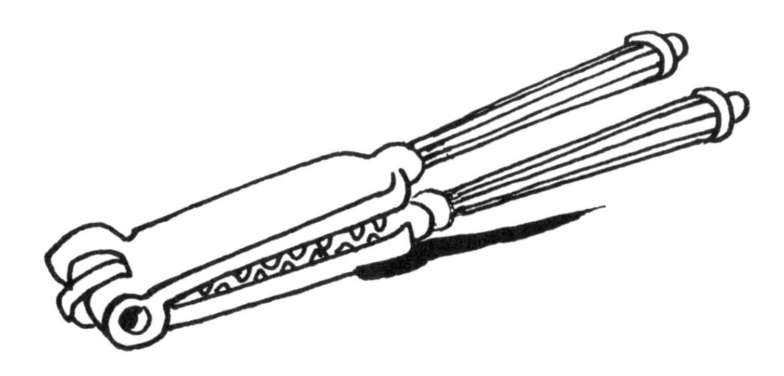

Aber Walburga rief: »Seid leise und hört mich erst zu Ende an! Wenn die Schublade offen ist, springen wir hinaus und verstecken uns in allen Ecken und Winkeln des Wohnzimmers, verstanden?«

»Jaaaaaa!«, flüsterten die Haselnüsse und Walnüsse und rollten nach hinten, um einen möglichst großen Anlauf zu haben.

Der Nussknacker merkte nichts von alledem. Er war alt und er hatte ein schlechtes Gehör wie viele alte Leute. Er wartete darauf, dass es zwölf Uhr würde, und knirschte dann und wann gierig mit den Zähnen.

Endlich war es so weit. Nur noch ein paar Sekunden bis zwölf Uhr. Noch drei, noch zwei, noch eine, dann begann die Standuhr zu schlagen.

»So«, knurrte der Nussknacker, »jetzt geht's los!« Er öffnete gierig das Maul mit den scharfen Zähnen.

Aber plötzlich lärmte, rollte und kullerte es links und rechts und über ihm, dass er nicht wusste, wie ihm geschah. Als er wieder zur Besinnung kam, lag er ganz allein und immer noch recht verdattert in der Lade. Die Nüsse aber, die die Lade geöffnet hatten und auf den Boden gesprungen waren, hüpften durchs Zimmer, suchten sich Verstecke aus und sangen obendrein ein Spottlied auf den bärbeißigen Alten:

»Alter Knacker, alter Racker,
Such uns! Wir sind hier!
Alle Nüsse fürchten Bisse,
Aber nicht von dir!
Alle Nüsse fürchten Bisse,
Aber nicht von dir!«

Dann verbargen sich die Nüsse unter dem Sofa, unter dem Schrank, in der Standuhr, in Vasen, in Blumentöpfen und Gläsern, und es wurde wieder still.

»Verfluchtes Pack!«, brummte der Nussknacker. »Wo mag es stecken? Wenn es wenigstens etwas heller wäre! Aber ich kriege die Bande schon. Ich bin ein alter, erfahrener Nussknacker!«

Er sprang mit seinen zwei steifen Beinen hinunter auf den Fußboden und tappte unter das Sofa.

Den beiden Haselnüssen Mausi und Susi, die dort unten hockten, wurde es nun doch etwas ängstlich ums Herz. Mausi schrie: »Da kommt er!« Susi rief: »Ich höre ihn!« Dann rollten die beiden davon.

Der Nussknacker stolperte wütend hinterher, fing sie aber nicht, weil die beiden Kleinen viel schneller waren als er. Als der Alte jedoch an der Uhr vorbeistolperte, stieß er plötzlich auf die Walnuss Walburga, die rasch ins Gehäuse der Uhr sprang.

»Hab ich dich!«, brüllte der Nussknacker, raste hinter Walburga her und sprang durchs Glas mitten in die Standuhr hinein, die vor Schreck zwei tiefe Schläge tat. Die Nuss Walburga war inzwischen schon wieder hinausgerollt und nun bekam der eiserne Alte vom Pendel der erbosten Standuhr immerzu Ohrfeigen, einmal links, einmal rechts, einmal rechts, einmal links.

Er brüllte laut vor Wut und Schmerz, er stand auf, er fiel wieder hin, er stand abermals auf und fiel wieder hin, und immer noch regnete es Ohrfeigen. Endlich gelang es ihm mit vieler Mühe, aus der Uhr herauszukommen. Er kletterte auf den Boden und schleppte sich mit dröhnendem Schädel auf den weichen Teppich, auf den er erschöpft niederfiel.

Da freuten sich die Nüsse, lärmten und lachten über den tollpatschigen Nussknacker und sangen das Spottlied zum zweiten Male.

Jetzt packte den scharfzahnigen Alten eine unvorstellbare Wut. Er raste blindlings überallhin, wo er ein Rollen oder Kichern hörte: unter den Schrank, unter den Tisch, zur Nähmaschine und ans Fenster.

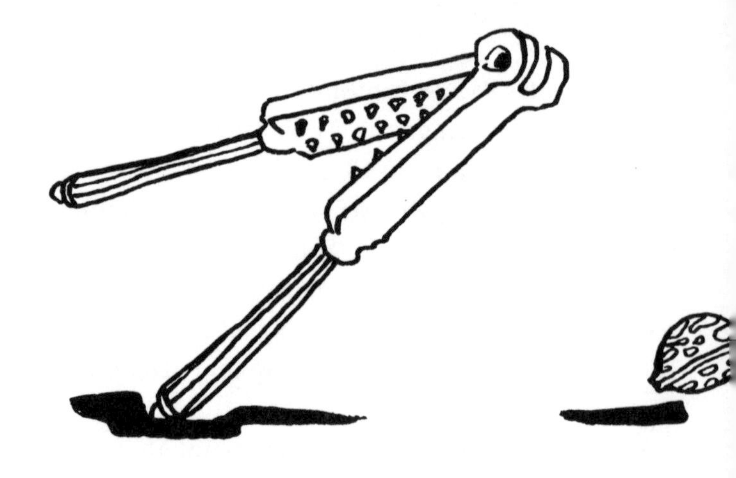

Aber plötzlich, als er Walburga auf dem Sims vor dem offenen Fenster verfolgte, tat er einen Fehltritt, und ehe er sich's versah, purzelte er kopfüber ins Freie und hinunter in den Garten.

»Ich falle!«, schrie er überflüssigerweise. Dann war er weg.

Die Nüsse oben im Wohnzimmer sahen und hörten nichts mehr von ihm und tanzten einen Freudentanz. Gleich darauf schlug es ein Uhr. Die Stunde, die Sachen lebendig werden lässt, war vorüber. Die rollende Gesellschaft wurde wieder zu Nüssen, die einzeln auf dem Fußboden herumlagen.

Zufällig kam in diesem Augenblick der Vater heim und schaute noch einmal ins Wohnzimmer.

»Nanu?«, rief er erstaunt. »Eine offene Schublade und Nüsse auf dem Boden?« Er sammelte die Nüsse ein und warf sie in die Lade, denn er war ein Mann, der die Ordnung liebte. Dann entdeckte er das Loch im Uhrglas, murmelte etwas von wilden Rangen und Ohrenlangziehen, gähnte und verließ das Wohnzimmer.

Wieder waren die Nüsse in der dunklen Lade allein. Sie rollten sich mühsam in die richtige Schlaflage, gähnten ebenfalls, wünschten sich eine gute Nacht und schon schliefen sie.

Einer aber schlief nicht in dieser Nacht: der alte Nussknacker. Er lag im Garten auf der kalten Erde und jammerte.

»Ich kriege mit Sicherheit Rosteritis in dieser Feuchtigkeit«, seufzte er. »Im linken Bein beginnt es schon. Wäre ich doch ruhig in der Lade liegen geblieben! Das kommt davon, wenn man auf seine alten Tage noch leichtsinnig wird!«

Bald darauf kam der Sturm und heulte und sauste und der Regen kam und klatschte und prasselte. Nach wenigen Tagen war der Nussknacker verrostet und seine Zähne waren stumpf. Als der Vater ihn unter dem Fenster fand, warf er ihn auf den Müllhaufen. Dort liegt er heute noch und jammert von früh bis spät, denn die Rosteritis wird mit jedem Tag schlimmer.

Mein Urgroßvater rollte die geblümte Tapete wieder ein, und ich sagte: »Das also sind die Helden der Obergroßmutter: Nüsse, die einen alten Nussknacker zum Narren halten. Dagegen bin ich ja ein Superheld!«

»Du?«, fragte der alte Boy. »Wieso du? Was hast du denn für Heldentaten vollbracht?«

Seine Neugierde erlaubte mir endlich, meine Heldentat am vereisten Kabel zu berichten. Ich erzählte sie nicht mehr in dem Hochgefühl, das mich auf der Mole am Meer erfüllt hatte, sondern eher sachlich; aber ich berichtete dennoch auf eine Art, die nach meiner Meinung Eindruck machen musste.

Leider täuschte ich mich. Mein Urgroßvater war nach meiner Erzählung fast böse. »Kann sein, Boy«, sagte er, »dass du durch deine Kletterei eine Erkenntnis gewonnen hast. Kann sein, mein Lie-

ber, dass du am eigenen Leibe erfahren hast, wie tief der Abgrund zwischen dem Vorsatz und der Tat ist. Das ist sehr wohl möglich, kleiner Boy. Aber ...« Und jetzt sagte er genau das, was ich erwartet hatte. »... aber sein Leben sinnlos aufs Spiel setzen macht noch keinen Helden! Ob du es glaubst oder nicht, Boy: Die Nuss Walburga, deren Einfall und Keckheit vielen Nüssen das kurze Leben rettete, hatte mit einem Helden mehr Ähnlichkeit als du!«

Ich seufzte und erklärte, Jonny Flöter fände auch, dass es keine Heldentat, sondern nur eine Dichterverrücktheit gewesen sei.

Dem stimmte mein Urgroßvater vorbehaltlos zu. »Jonny Flöter ist zwar kein allzu kluger Kopf«, sagte er, »aber in einer praktischen Lage, die Heldenmut erfordert, wäre er wahrscheinlich nützlicher als wir beide zusammen. So ist es nun einmal mit den Heldentaten.«

Meine Niedergeschlagenheit über die Worte meines Urgroßvaters verschwand, als – zu unser beider Erstaunen – Jonny Flöter plötzlich bei uns auf dem Speicher erschien. Er sagte: »Euer Kutter kommt. Darf ich die Frachtbriefe austragen? Ihr wollt doch sicher dichten.«

Ich erlaubte es ihm großzügig trotz der Trinkgelder, die mir dadurch entgingen. Mein Urgroßvater aber hielt ihn noch einen Augenblick zurück und fragte: »Warum hast du Boy eigentlich nicht an dieser Kletterpartie gehindert, Jonny? Stell dir vor, er wäre abgestürzt und läge jetzt tot oder mit gebrochenen Knochen auf der Mole!«

Jonny wurde blass und stotterte: »Ich ... ich ... ich hab ja selbst nicht dran geglaubt, dass Boy es wirklich tun würde. Ich glaube, ich hatte viel mehr Schiss als Boy. Als er unten war, sind mir siebenundachtzig Klamotten vom Herz gefallen.«

»Vom Herzen, Jonny!«, verbesserte der alte Boy.

»Wie bitte?«

»Es heißt: vom Herzen gefallen, Jonny, nicht: vom Herz!«

»Ach so! Entschuldigung! Jetzt muss ich aber los!« Sichtlich verwirrt verließ Jonny uns, während mein Urgroßvater schallend lachte und unter dem Lachen ausrief: »Die Menschen sind doch komische Leute, Boy! Aber es gibt nichts Interessanteres als Menschen.«

Danach wurden wir zwei Heldenforscher wieder ernsthaft und beschlossen, ebenso ernsthaft, über das zähe Ausharren, das Helden machen kann, zu dichten.

»Schau, Boy«, sagte mein Urgroßvater, »wir haben schon vieles erkannt, was Helden auszeichnet; aber beim Clown Pepe wurde mir zum ersten Male klar, wie viel Geduld und Ausdauer manchmal zu einer sogenannten Heldentat gehören. Denk daran, wie die kleinen Nüsse eine ganze Stunde lang dauernd dem für sie tödlichen Nussknacker ausweichen mussten. Oder denk meinetwegen an dein blödsinniges Kabel, an dem du Handgriff um Handgriff hinunterklettern musstest: Wenn in diesen Fällen Heldentum vorhanden war, dann allenfalls im Durchstehen der Lage. Verstehst du?«

»Natürlich, Urgroßvater!«, sagte ich nicht ohne Stolz. »Ich habe es ja selber durchgestanden.«

»Jetzt wird der Bengel auch noch eitel«, seufzte der Alte. Dann wurde er nachdenklich und sagte: »Ich kenne eine blutige Geschichte vom Durchhalten, Boy. Sie spielt im alten Mexiko. Weißt du etwas von der Eroberung Mexikos?«

»Ich weiß, dass sie von 1519 bis 1521 dauerte, Urgroßvater, und dass sie einer der blutigsten Feldzüge in der Weltgeschichte war.«

»Stimmt, Boy. Und eine der allerblutigsten Taten dieses Feldzuges war das Gemetzel von Cholula, durch das ein gewisser Gaspar Lencero zum Einsiedler geworden ist. Er hat einen Bericht darüber geschrieben und dieser Bericht ist meine Geschichte. Ich will so tun, als sei ich dieser Einsiedler, der den Bericht diktiert. Hör zu!«

Langsam, besonnen und sorgsam die Worte wählend, begann mein Urgroßvater:

Die Erzählung des Gaspar Lencero

Mein Name ist Gaspar Lencero. Ich lebe als Einsiedler im wildesten und abgelegensten Teil Mexikos, in einer Kaktuswüstenei, die mir kaum mehr als die Früchte der Opuntien beschert. Meine Wohnung ist eine Höhle. Ich will büßen für das, was meine Landsleute unter dem Generalkapitän Cortez den Mexikanern angetan haben, und ich will berichten, was in der Stadt Cholula geschah, damit die Nachwelt davon Kunde habe.

Wir wurden, als wir nach Cholula kamen, mit aller Ehrerbietung von den Großen der Stadt, zuvörderst von den obersten Priestern, empfangen und hernach einquartiert in einem Tempel samt Nebengebäuden, die einen großen Hof umschlossen. Sehr viele Cholulaner hatten die Stadt verlassen. Das war, wie wir aus böser Erfahrung wussten, kein gutes Zeichen. Aber sichere Nachricht über hinterhältige Pläne der Cholulaner hatten wir nicht. Ich kann dies mit Bestimmtheit versichern, weil einer der Hauptleute des Herrn Generalkapitäns, der dessen Ohr und Vertrauen hatte, mein Freund war. Er sagte mir, das Gerücht über einen geplanten heimlichen Überfall auf uns sei von keinem unserer Spione bestätigt worden.

Deshalb verwunderte es mich, als wir am nächsten Tage in höchste Alarmbereitschaft versetzt und angewiesen wurden, Lanzen, Schwerter und Büchsen bereitzuhalten.

Ein gnädiger Zufall fügte es, dass ich selbst Zuschauer bleiben durfte und nicht in die Arena steigen musste, als das Fürchterliche begann. Ich hielt mich als Ordonanz in der Nähe des Generalkäpitäns auf, der auf dem Dach des Tempels stand und hinunterblickte auf den Hof, in dem eine Riesenmenge von Cholulanern seinen Befehl erwartete. Er selbst gibt ihre Zahl mit zweitausend an. Der verehrungswürdige Las Casas spricht von fünf- bis sechstausend Leuten. Ich bin geneigt, dem Las Casas recht zu geben; denn es war eine für meine Augen unfassliche Menge, die da unten versammelt war. Sie hockten da mit übereinandergeschlagenen Beinen, Rucksäcke mit spärlichen Lebensmitteln auf dem Rücken, plauderten harmlos und waren, da man sie angeblich zu Trägerdiensten benötigte, vollkommen unbewaffnet und viele fast nackend. Es war ein friedlicher Anblick und für mich auf dem Dach war er doppelt friedlich, weil ich, wenn ich die Augen hob, auf die schöne türmereiche Stadt und dahinter auf das Land mit seinen Maisfeldern blicken konnte, auf die die Sonne freundlich niederschien.

Deshalb war ich bis zum Zittern erschrocken, als ein Kanonenschuss in diesen Frieden dröhnte und als danach unsere Leute von den Dächern auf die im Hof versammelten Mexikaner zu schießen begannen. Ich sah Hunderte von ihnen mit geöffneten Mündern sterben, so als glaubten sie nicht an das, was geschah. Dann hörte ich sie schreien, bitten und um Gnade betteln und starrte entsetzt den Generalkapitän an, der am Rande des Daches stand und niederblickte auf den Hof, als schaue er seinen Leuten beim Ballspielen zu.

Aber es kam noch schlimmer; denn als die Büchsen schwiegen, quollen mit Messern und Schwertern die Unseren in den Hof, viele sogar mit lachenden Gesichtern, und erschlugen und erstachen die noch lebenden wehrlosen Cholulaner.

Der Anblick war so fürchterlich, dass ich die Augen abwandte und wieder den Herrn Generalkapitän anstarrte.

Er sang – hier irren die Chronisten nicht – Strophen aus einer Romanze über den Untergang Roms vor sich hin. Er stand auf dem Dach wie einer, dem man das indianische Rauschgift gegeben hat. Sein Kopf, der eher breit als hoch ist, wirkte plötzlich schmal. Er öffnete zwei Knöpfe seines Lederwamses, als brauche er Luft.

Unter ihm wurde gemordet auf seinen Befehl. Grausam und unnachgiebig wateten die Spanier in einem Hof voll Blut. Versuchte ein Cholulaner, der unter den Toten begraben war, sich aufzurich-

ten, machte ein Messerstich auch seinem Leben ein Ende. Todesschreie hallten durchs Geviert. Der Generalkapitän sang.

Plötzlich jedoch wurde aus dem blicklosen Starren des Cortez ein Blick. Er sah, das merkte ich, etwas Einzelnes, und ungewollt ging auch mein Blick zurück in die Arena. Da sah ich, dass einer der Unseren, ein junger Kastilianer namens Henrique de Castillo Betancor, sein Schwert auf die Toten geworfen hatte und nun einen jungen Mexikaner schützend mit seinen Armen umfing. Ich hörte ihn zum Generalkapitän hinaufrufen: »Dieser hier hat mir das Leben gerettet. Schont ihn!«

Die beiden jungen Leute starrten hinauf aufs Dach und unsere Leute umgingen sie seltsamerweise, vielleicht aus Scheu vor dieser Kraft zum Widerstehen, vielleicht weil sie glaubten, der Herr Generalkapitän lasse hier Gnade vor Unrecht walten.

Cortez – er stand links neben mir – zuckte mit keiner Wimper, als er angerufen wurde. Aus einem Mundwinkel fragte er mich: »Wie heißt der Mann?«

Ich beeilte mich, seinen Namen zu nennen und hinzuzufügen, dass der Mexikaner ihm wirklich das Leben gerettet habe. Ich kannte nämlich beide ziemlich gut. Dieser Henrique de Castillo Betancor, ein schmaler Bursche mit lockigen braunen Haaren, hatte mich des Öfteren in Gespräche über die Religion verwickelt und den ungeheuerlichen Gedanken geäußert, man müsse Gott und alle Götter abschaffen, weil in ihrem Namen die Weltgeschichte zu einem Blutbad geworden sei. Immer wieder hatte ich ihm begreiflich zu machen versucht, dass Gott nicht schuld sei an dem, was die Menschen in seinem Namen an Schändlichkeiten verübten. Aber ich hatte ihn niemals überzeugt. Ich wusste auch, dass er zusammen mit diesem Mexikaner, den er jetzt mit seinem Leib deckte, ähnliche Gespräche geführt hatte. Ich vermeinte sogar, in den Gesichtern der beiden da unten das Feuer der Eiferer glühen zu sehen, so, als bestätige das Morden um sie herum ihren gotteslästerlichen Gedanken.

Der Herr Generalkapitän hatte auf meine Erklärung über die beiden kein Wort erwidert. Er summte jetzt, blickte erneut in das Gemetzel und schenkte dem jungen Spanier und seinem Schützling keine Beachtung mehr.

Ich aber hatte jetzt nur noch Augen für diese beiden. Ich sah, wie einige Cholulaner sich an sie drängten wie an einen Leuchtturm im Orkan, ich sah diese armen Kreaturen fallen von Schwerthieben und Messerstichen und ich erwartete jeden Augenblick, dass auch der Krauskopf niedersinken und im Fall den mandeläugigen Mexikaner mit sich reißen würde. Aber die beiden standen immer noch aufrecht, als rings um sie der Tod die Sichel schwang und niedermähte, was ihm in den Weg kam. Der kleine Rucksack des Mexikaners hob und senkte sich ständig, weil sein Träger so keuchte.

Einmal – mir stockte der Atem, als ich das sah –, einmal versuchte einer unserer Hauptleute, den Henrique von seinem Schützling wegzureißen, um den Mexikaner mit einem Dolch zu durchbohren. Da schrie der junge Spanier: »Cortez!« Und es klang beinahe wie ein Befehl.

Nach dem Schrei war das Auge des Generalkapitäns unter gerunzelter Stirn wieder für kurze Zeit bei ihm. Deshalb ließ der Hauptmann, mit einem verstohlenen Blick auf das Dach, von seinem Opfer ab.

Mir brach der Schweiß aus und daran war nicht die Sonne schuld. Ich legte in diesem Augenblick das Gelübde ab, ein Einsiedler zu werden und zu büßen für die Schuld meiner Landsleute, wenn Gott, der Herr, über diese beiden seine Hand hielte. Ich begann zu zittern, als ich sah, dass bald keine Cholulaner mehr am Leben

waren. Ich betete zu Gott, dass er gerade diesen zweien, denen zu zürnen er Grund habe, seine unbegreifliche Gnade möge zuteil werden lassen. Ich bebte, wenn ich einen bewaffneten Spanier auf die beiden zugehen und ihn dann plötzlich einen Bogen um sie machen sah. Ich begriff nicht, dass der Kastilianer das aushielt.

Am Ende, als alles, was aufrecht stand, spanisch, und alles, was tot auf dem Boden lag, cholulanisch war, riefen ein paar der Unseren dem Henrique zu, er möge von dem Mexikaner ablassen, sonst werde auch er erschlagen.

Es hätte für ihn nur eines winzigen Schrittes bedurft, um außer Lebensgefahr zu sein, denn immer mehr Spanier wandten sich jetzt gegen ihn; aber er ließ nicht ab von seinem Lebensretter. Er deckte ihn mit seinem Körper, wann immer einer das Messer gegen seinen Schützling zückte. Er stand, den anderen Spaniern unbegreiflich, allein gegen sie alle, gesammelten Gesichtes und in der Erwartung, von seinen eigenen Leuten ermordet zu werden.

In diesem Augenblick winkte der Herr Generalkapitän müde vom Dach, dass man die beiden vor ihn bringe.

Ich habe bei der Eroberung Mexikos vieles erlebt und gesehen. So leicht ist mir nichts fremd, was Menschen Menschen antun können. Ich habe zusehen müssen, wie Spanier mexikanischen Göttern geopfert wurden. Ich weiß, was alles im Namen des Christengottes geschah. Ich kann sogar begreifen, dass einer die Götter verflucht, in deren Namen so viel Blut geflossen ist. Doch werde ich bis an das Ende meiner Tage diesen milden Sommertag auf dem Dach des Tempels von Cholula nicht vergessen. Und nicht vergessen werde

ich, wie jene beiden Überlebenden vor Cortez getreten sind, der sie auf Herz und Blut examinierte.

Beide waren besudelt vom Blut der Ermordeten und atmeten schwer. Sie standen jetzt nebeneinander, etwa gleich groß, krausköpfig der eine, der andere mit hochgebundenen schwarzen Haaren. Der junge Kastilianer sprach für beide, da der Mexikaner des Spanischen nicht mächtig war. Er gab dem Cortez genaue Antwort auf dessen Fragen nach Herkunft, Namen und Lebensgang und wechselte manchmal ein paar Worte in der Landessprache mit seinem Gefährten. Kein Wort der Bitterkeit kam über seine Lippen. Ruhig stand er Rede und Antwort und ich bemerkte, dass in der Umgebung des Cortez ein Gefühl der Achtung vor diesem jungen Manne wuchs.

Seltsamerweise wurde die Stimme des Herrn Generalkapitäns immer gereizter, je ruhiger ihm der Kastilianer antwortete. »Was hat Euch, einen Spanier und Christen, bewogen, diesen Mann zu retten?«, fragte er scharf.

»Die Dankbarkeit, Herr Generalkapitän. Als man mich morden wollte, weil ich Christ war, als man mir bei lebendigem Leibe das Herz ausreißen wollte, hat dieser Bursche gerufen, dass ich dem Gott der Christen abgeschworen und den Göttern Mexikos zugeschworen hätte. Er log, Herr Generalkapitän, allein es ging ums Leben. So nickte ich und war gerettet.«

»Ah!«, rief Cortez, als habe er den jungen Mann bei einer Todsünde ertappt. »So habt Ihr also Gott verleugnet, um Euer bisschen Leben zu retten, Henrique de Castillo Betancor?«

»Was ist das für ein Gott, der solches zulässt?«, fragte der Kastilianer und zeigte in den Hof, wo einige spanische Soldaten wie Schlächter zwischen den Toten standen und neugierig zu uns aufs Dach hinaufblickten.

Durch die Umgebung des Cortez ging eine Bewegung. Man wusste, wie empfindlich der Generalkapitän gegen jederlei Kritik war. Und die ruhig gestellte Frage des jungen Mannes war eine ungeheuerliche Anklage gegen niemand anders als Cortez selbst. Die Toten, auf die Henrique zeigte, bezeugten sie stumm.

Aber der Herr Generalkapitän tat, als habe er die Anklage nicht begriffen. Er sagte schnell, leise und mit schmalem Mund: »Fragt den Mexikaner, warum er sich von Euch, einem Christen, das Leben habe retten lassen.«

Der Kastilianer übersetzte die Frage und hernach die Antwort des Mexikaners. Sie lautete schlicht: »Weil mir mein Leben lieb ist.«

»Wer sein Leben höher stellt als seinen Gott«, rief Cortez, »wie will denn der leben? Welchen Gott, welche Welt ersehnt ihr Euch denn?«

»Eine Welt ohne Götter, eine menschliche Welt, Herr Generalkapitän!«

»Hat Euer mexikanischer Lebensretter den gleichen tollen Wunsch, Kastilianer?«

»Jawohl, Herr Generalkapitän!« Unwillkürlich fasste der junge Spanier den Mexikaner bei der Hand.

»Nun denn«, sagte Cortez und lachte plötzlich, »dann habe ich Euch in der Schlinge, Lästerer! Geht ohne meinen Schutz von dannen. Geht ohne Götter, aber vogelfrei ins Land. Euch schützt kein Spanier und kein Mexikaner. Ihr seid von jetzt ab Freiwild. Versucht zu überleben, wenn Ihr könnt.«

Da sprach der Spanier ein paar Worte auf Mexikanisch zu seinem Gefährten und die beiden verließen, vom Gelächter des Generalkapitäns verfolgt, das Dach. Keiner berührte sie, die jetzt vogelfrei waren. Man weiß, dass sie aus Cholula herausgekommen sind. Aber man hat nie wieder von ihnen gehört.

Ich jedoch bat eingedenk meines Gelübdes den Herrn Generalkapitän um den Abschied, den er mir, ohne Fragen zu stellen, gewährte.

Die Erzählung meines Urgroßvaters hatte mich gefesselt und verwirrt in einem. Ich sah die beiden, den jungen Spanier und den jungen Mexikaner, an den Maisfeldern vorbei in unwirtliche Landstriche wandern, immer weiter fort, ohne je eine Behausung zu finden, und ich fürchtete mich vor einer Erklärung des Urgroßvaters.

Aber der Alte erklärte, als habe er mich verstanden, nichts. Erst später, als wir hinunterstiegen ins Parterre, weil unsere Seeleute gekommen waren, erst, als Onkel Jasper von einem Unwetter auf See berichtet hatte und die Obergroßmutter halb schaudernd, halb bewundernd zuhörte, als sie ihr schilderten, wie sie die Lage gemeistert hatten, erst da flüsterte der Urgroßvater mir zu: »Lass ihnen ihre Heldentaten. Wir kennen Helden, die verachtet werden. Und die sind größer.«

Merkwürdigerweise lenkten weder das üppige Mittagsmahl noch die Geschichten, die Onkel Harry und Onkel Jasper dabei zum Besten gaben, meine Gedanken von der mexikanischen Geschichte ab. Erst als Jonny Flöter wegen der Frachtbriefe noch einmal kam, vergaß ich sie für einige Zeit und ließ mich sogar zu einem Spaziergang ins Unterland und auf die Brücke überreden, da mein Urgroßvater sich für zwei Stunden hinlegen wollte.

Jonny machte mir Vorwürfe, weil ich meinem Urgroßvater von der Kabelkletterei erzählt hatte. »Solche Sachen«, sagte er, »brauchen die Erwachsenen nicht zu wissen, Boy. Die verstehen das doch nur falsch.«

»Aber mein Urgroßvater findet genau wie du, dass es eine Verrücktheit war. Er ist deiner Meinung.«

»Na ja, dein Urgroßvater …« Jonnys erhobene Schultern zeigten an, dass er den alten Boy für eine Sonderklasse unter den Erwachsenen hielt, und das nahm mich für ihn ein. Ich erzählte ihm daher, als wir die Treppe hinunterstiegen, die mexikanische Geschichte und sie gefiel ihm, was mich erstaunte, sehr. Er gab sogar zu, dass er selbst niemals fertiggebracht hätte, was dieser Spanier gewagt hatte. »Weißt du, den Mut dazu hätte ich schon«, sagte er, »aber als spanischer Soldat unter lauter Spaniern so einen fremden Kerl mit Mandelaugen schützen, das wäre mir doch zu verrückt vorgekommen. Man muss doch wissen, wo man hingehört.«

Diese Bemerkung Jonnys ließ mir die Tat des Henrique de Castillo Betancor in noch hellerem Licht erscheinen, weil ich plötzlich begriff, dass der junge Bursche seine ganze eigene Welt, Gott und die Menschen, verlassen hatte, als er einem Mexikaner das Leben rettete. Ich verfiel in hundert Gedanken über den Helden, der ein Außenseiter ist, und auf der Brücke hatte Jonny wieder einmal Grund, darüber zu klagen, dass ich ihm nicht zuhörte.

Meine Untergroßeltern machten übrigens auch einen Samstagnachmittagsspaziergang auf der Brücke und fragten mich, wie es dem Urgroßvater ginge. Ich sagte, er sei gut bei Schick, und ließ mich dann samt Jonny zu Kaffee und Butterkuchen einladen.

Heute überlege ich manchmal, wie ich damals eigentlich all das Essen und Trinken und Naschen auf der Insel ausgehalten habe, ohne eine Kugel zu werden. Wahrscheinlich lag es daran, dass die scharfe Seeluft zehrt und dass ich im Sommer zehn- bis zwölfmal täglich ins Meer gesprungen bin. Denn tatsächlich war ich zu jener Zeit, mit zwölf Jahren, eine Bohnenstange.

Das alte Problem, Jonny wieder loszuwerden, wenn ich dichten wollte, löste sich diesmal von selbst, weil er zu einem Geburtstag eingeladen war. (Wahrscheinlich bekam er dabei ein zweites Mal Butterkuchen vorgesetzt.) So konnte ich, als ich mich bei den Untergroßeltern bedankt hatte, wieder aufs Oberland steigen und zum Urgroßvater gehen, der auf dem Speicher wohl ausgeruht im Rollstuhl saß und schon wieder eine Tapetenrückseite beschrieb.

»Was dichtest du?«, fragte ich.

»Natürlich eine Ballade, Boy. Ich bin noch am Anfang. Machst du mit?«

»Wie war noch unser heutiges Thema, Urgroßvater?«

»Das Ausharren, Boy, das Durchhalten mit zusammengebissenen Zähnen. Ich bringe ein Abenteuer des Herkules in Verse, das noch nicht im schwarzen Heft steht. Schreib du auch eine Aushalte-Ballade.«

»Ich will's versuchen, Urgroßvater.«

Nachdem ich mich des dicken Pullovers entledigt hatte, der im geheizten Dachzimmer viel zu warm war, nahm ich den bereitliegenden Zimmermannsbleistift und schrieb auf die Tapetenrückseite, hübsch in die Mitte: Die Ballade von Heinrich Haltaus. Ich hatte noch keinen blassen Schimmer, wer dieser Heinrich Haltaus eigentlich war, sah ihn aber, nachdem ich seinen Namen erfunden hatte, von Minute zu Minute deutlicher vor mir, bis ich zu schreiben begann und noch vor meinem Urgroßvater die Ballade beendete.

Der Alte sagte, als auch er fertig war: »Du hast dir erst die Überschrift ausgedacht und dann dazu eine Ballade geschrieben, stimmt's?«

Ich nickte.

»Das soll ein Kunstgriff mancher Dichter sein, Boy. Mal sehen, ob du die Aufgabe gemeistert hast! Lies vor!«

Da las ich:

Die Ballade von Heinrich Haltaus

Einst haben zehn Knaben
Im Sande gegraben
Und sich einen Tunnel gebaut.
Sie stiegen sehr munter
Hinein und hinunter.
Sie haben dem Sande getraut.

Es stieg als der Letzte
Der wenig geschätzte
Sehr magere Heinrich hinein.
Doch bei seinem Flutschen
Kam alles ins Rutschen.
Der Eingang brach über ihm ein.

Er konnt sich noch bücken.
Doch schwer auf dem Rücken
Lag lastender Sand wie ein Stein.
Er brüllte: »Kriecht unter
Mir durch oder drunter!
Hinaus! Unser Tunnel bricht ein!«

Die anderen lachten.
Die anderen dachten,
Er habe sie einfach geneckt.
Doch stöhnte da plötzlich
Der Heinrich entsetzlich,
Und nun waren alle erschreckt.

Mit keuchenden Lungen,
So krochen die Jungen

Rasch unter dem Heinrich hinaus.
Es war so beschwerlich,
Es war so gefährlich.
Sie wimmerten: »Heinrich, halt aus!«

Es fing nach dem Zweiten
Der Sand an zu gleiten.
Da rief's aus dem Innern des Baus,
Aus finsterem Keller:
»Macht schneller! Macht schneller!«
Man bettelte: »Heinrich, halt aus!«

Der Dritte, der Vierte,
Der Fünfte passierte
Und kroch in die Sonne hinaus.
Doch vier in den Tiefen
Des Sandtunnels riefen
In Todesangst: »Heinrich, halt aus!«

Doch konnt er's nicht halten.
Mit Donnergewalten
Brach alles jetzt über ihm ein.
Nun waren fünf Knaben
Im Tunnel begraben.
Fünf waren gerettet im Frein.

Da wühlten und gruben
Die keuchenden Buben
Und gaben beim Graben nicht Ruh,
Bis dass sie befreiten
Den Ersten, den Zweiten
Und auch die drei andern dazu.

Sie retteten alle
Aus tödlicher Falle
Mit Schaufeln und Spaten und Brett.
Nur Heinrich lag Wochen,
Gebrochen die Knochen,
Geschient und verbunden im Bett.

Doch kam man mit Kuchen
Ihn täglich besuchen.
Da war er der König im Haus.
Und Heinrich war fröhlich,
Und Heinrich war selig.
Denn jetzt war er Heinrich Haltaus!

Mein Urgroßvater schwieg nach der Ballade zunächst. Dann sagte er: »Du hast deine Aufgabe gemeistert, Boy. Wir haben einen neuen Helden in unserer Sammlung. Und dieser junge Held hat mehr geleistet als du mit deiner Kabelkletterei. Er hat nämlich keine Heldentat nach Plan vollbracht, sondern ausgehalten, um das Leben seiner Freunde zu retten. Es ist eine gute Ballade, Boy.«

»Danke, Urgroßvater. Höre ich jetzt das Abenteuer des Herkules?«

»Ja, mein Junge.«

Das übliche Brillerücken. Das übliche Freihusten der Kehle.

Dann vernahm ich:

Die Ballade von Herkules und der Hirschkuh

Herr Herkules, der große Held,
Man kennt ihn aus der Sage,
Der hat die angsterfüllte Welt
Befreit von mancher Plage.

Als er des Bruders Diener war,
Hat er auf sein Verlangen
Dianas schnelle Hirschkuh gar
Mühselig eingefangen.

Er hat zu Anfang unterschätzt
Die Mühsal und Beschwerde.
Es ist nicht einfach, wenn man hetzt
Das schnellste Tier der Erde.

Doch lief er einfach los und rief
Nicht nach dem Rat der Götter.
Er lief und lief und lief und lief
Durch Länder, Wind und Wetter.

Er jagte weiter immerdar,
Fast ohne zu verschnaufen.
Er hat dabei in einem Jahr
Die ganze Welt durchlaufen.

Er lief durch Wald, Gebirg und Tal,
Durch Auen, grün und heiter.
Kaum ruhte er des Nachts einmal,
Da ging die Jagd schon weiter.

Oft rief er mitten unterm Lauf
Und auch beim Spurenlesen:
»Die Hirschkuh gibt noch vor mir auf!«
Und so ist es gewesen.

Denn eines Nachts an einem Fluss,
Als Nachtigallen sangen,
Hat er die Hirschkuh ohne Schuss
Im Schlafe sanft gefangen.

Er hat sie friedlich übermannt
In der Erschöpfungspause.
Dann trug er sie nach Griechenland
Zu seines Bruders Hause.

Als erster Mann bewies der Held
Im Wald und im Gelände,
Dass der, der durchhält auf der Welt,
Der Sieger bleibt am Ende.

Nach dem Vortrag dieses neuen Herkulesgedichtes sagte ich: »Es scheint keine Heldentugend zu geben, die Herkules nicht schon ausgeübt hätte, Urgroßvater. Er scheint tatsächlich in allem der Erste gewesen zu sein. Aber ich finde, das nimmt seinen Nachfolgern nichts von ihrer Größe. Der rasende Marzipanbäcker oder der Clown Pepe oder der Henrique in Mexiko stehen meinem Herzen sogar näher.«

»Mir auch, Boy«, lächelte der Urgroßvater. »Sogar dein Heinrich Haltaus steht mir näher als Herkules; aber das ist auch recht so, mein Lieber! Der Held, dem man ein Denkmal aus Sternen gesetzt hat, soll so einfach, so groß und so fern wie die Sterne bleiben. Er ist das Muster. Die anderen sind Menschen.«

»Und große Muster passen nicht in kleine Häuser!«, lachte ich; denn wieder einmal, wie gewöhnlich, wurden wir beim Gespräch über Herkules unterbrochen, diesmal von Onkel Jasper, der uns zum Abendessen herunterholen kam.

Zu viel Essen – und an den Kuttertagen wurde bei der Obergroßmutter dauernd gegessen – macht müde. Daher verteilten wir uns an diesem Samstag alle miteinander ziemlich früh auf die Schlafzimmer. Sogar Onkel Harry, der ein Nachtlicht war, ging mit mir zusammen in unser Schlafzimmer hinauf. Allerdings musste ich ihm noch ausführlich erzählen, worüber ich heute mit dem Urgroßvater gesprochen und gedichtet hatte.

Das regte ihn so an, dass er mich hernach fragte, ob ich schon sehr müde sei oder ob ich noch eine Geschichte anhören könne. Es sei eine Geschichte vom Ausharren und Durchhalten, die er selbst erlebt habe.

»Willst du sie hören, Boy?«

Das wollte ich, da er mir noch nie eine Geschichte erzählt hatte und weil ich glaubte, noch nicht besonders müde zu sein.

Also hörte ich, warm und gemütlich ins Bett gekuschelt:

Onkel Harrys Geschichte

Wer zu meiner Zeit Seemann werden wollte, hatte einen schweren Stand; denn es meldeten sich zu diesem Beruf mehr Leute, als man brauchte. Außerdem wurde man meistens in kleinen Gruppen angeheuert. Drei aufeinander eingespielte Seeleute hatten mehr Chancen, genommen zu werden, als ein einzelner.

Deshalb tat ich mich damals, als ich ein Schiff suchte, mit Carsten Heickens und Bart Ohlsen zusammen, um mit ihnen gemeinsam angeheuert zu werden. Wir fanden auch eine Reederei, die uns haben wollte und uns für morgens acht Uhr auf das Reedereikontor bestellte.

Aber am Tag zuvor bekam Bart, der nie der Gesündeste gewesen ist, plötzlich und aus heiterem Himmel eine Grippe mit so hohem

Fieber, dass man das Schlimmste befürchten musste. Ein Doktor, den wir holten, erklärte, dass Bart mindestens vierzehn Tage im Bett liegen müsse, um wieder auf die Beine zu kommen.

Das machte uns einen Strich durch die Rechnung, denn die Reederei verlangte ausdrücklich drei aufeinander eingespielte Leute. Ohne Bart Ohlsen würde man uns nicht nehmen. Deshalb versuchten wir mit allen möglichen Pferdekuren, Bart wenigstens halbwegs auf die Beine zu bringen, aber am nächsten Morgen um sieben, als wir uns für den Gang zum Kontor fertig machen mussten, fieberte Bart noch genauso wie am Vortage und war eher schwächer geworden.

»Dann müssen wir eben auf den Job verzichten«, sagte Carsten Heickens. »Vielleicht kriegen wir später sogar ein noch besseres Schiff.«

Ich stimmte ihm zu, obwohl ich nicht recht wusste, wie wir unser Hotelzimmer in der Zwischenzeit bezahlen sollten; denn wir hatten keinen Pfennig mehr auf der Naht. Außerdem mussten wir ja essen, wenn wir einigermaßen tipptopp bleiben wollten.

Der fiebernde Bart musste sich Ähnliches überlegt haben; denn plötzlich stand er, schweißnass und schwach, wie er war, auf und sagte: »Wir gehen! Frottiert mich ordentlich mit dem Handtuch ab. Die Vorstellung im Kontor halt ich schon durch. Und das Schiff geht ja erst übermorgen. Bis dahin komm ich schon irgendwie wieder auf die Beine.«

Unsere Lage war so hoffnungslos, dass wir zwei Gesunden wider besseres Wissen den Vorschlag annahmen. Bart wurde frottiert, kriegte einen starken Tee mit Rum, und dann marschierten wir los zum Hafenkontor.

Leider sackte Bart schon auf dem Wege beinahe zusammen. Wir mussten ihn während des letzten Stücks unterhaken und halten. Vor der Kontortür war er wieder schweißnass und sah so bleich und abgezehrt aus, dass wir zögerten, ihn in diesem Zustand vorzuführen.

Da kam Bart selbst die Idee, ihn für betrunken auszugeben; denn ein saufender Seemann ist den Reedereien immer noch lieber als ein kranker.

Carsten Heickens trocknete also Barts Gesicht mit einem Taschentuch ab und rieb die Haut, damit sie wieder etwas Farbe bekäme. Dann traten wir, Bart von zwei Seiten stützend, ins Kontor, in dem der alte Reeder Reimers, ein Pfennigfuchser, selbst saß.

Gleich die erste Frage des Reeders lautete: »Was ist mit dem da? Kranke Leute kann ich nicht gebrauchen.«

»I…i… ich habe übern Durst getru…tru…« Bart spielte den Berauschten sehr überzeugend.

»Kommt das oft vor?«, fragte uns der alte Reimers.

»Eigentlich so gut wie nie!«, antwortete ich wahrheitsgemäß, denn Bart war kein Trinker. »Deshalb hat ihn ja das bisschen Alkohol so umgeschmissen. Seine Schwester hatte nämlich gestern Hochzeit, Herr Reimers.«

»Ja…wohl, die Ger…da«, stammelte Bart, der überhaupt keine Schwester hatte.

Der Hinweis auf die Hochzeit schien den Reeder milde zu stimmen. Er holte Formulare aus einer Schreibtischschublade und begann sie, während er uns die üblichen Fragen stellte, umständlich auszufüllen. Einen Platz bot er uns nicht an.

So standen wir fast eine Stunde lang vor dem Schreibtisch und Bart wurde dabei immer schwerer. Als wir merkten, dass er sogar mit einer Ohnmacht kämpfte, rüttelten wir ihn und zogen ihn möglichst laut und lachend mit seiner Betrunkenheit auf. Bart gab schwache Töne von sich, aber immer noch mit dem Ansehen des Betrunkenen. Wir fürchteten jeden Augenblick einen Zusammenbruch, den wir uns nicht leisten konnten; denn zu jener Zeit herrschten harte Gesetze. Von einem Seemann, der gesoffen hat, verlangte man, dass er hinterher trotzdem seinen Mann stünde, sonst wurde er gefeuert.

Ich weiß nicht mehr genau, wie wir aus dem Kontor herausgekommen sind; denn auch ich war vom Stützen und Aufpassen schwach geworden. Ich weiß nur noch, dass wir vom alten Reimers in aller Form angeheuert worden sind und dass Bart, kaum dass wir die Tür hinter uns geschlossen hatten, zusammenbrach wie ein morscher Kahn.

Ein Arzt im Tropenkrankenhaus, den wir kannten, fluchte Hölle und Pest auf uns herab, als er erfuhr, was wir mit Bart Ohlsen angestellt hatten. Aber derselbe Arzt, eine Pferdenatur, kurierte unseren Macker halbwegs. Zwei Tage später konnte er mit uns aufs Schiff gehen.

Auf See machten wir dann, soweit wir konnten, Barts Arbeit mit und schoben für ihn Wache. Als wir in Malmö in Schweden anlegten, war er wieder so weit kuriert, dass er am Abend mit an Land gehen und drei Grogs trinken konnte.

Dass er vor dem alten Reimers so lange ausgehalten hatte, um uns nicht auf dem Trockenen sitzen zu lassen, haben wir ihm nie vergessen. Für Bart Ohlsen stehle ich heute noch die Segel von einem Viermaster, wenn es sein muss.

Onkel Harrys Geschichte war zu Ende und ich wunderte mich wieder einmal, wie sonst ganz unheldenhafte Leute durch eine bestimmte Situation über sich hinauswachsen können. Bart Ohlsen war nämlich inzwischen ein bequemer Hausbesitzer geworden, der eine Frau, einen Bauch, drei Töchter und viel Zeit zum Schwatzen hatte.

Als Onkel Harry mich fragte, ob es eine gute Durchhalte-Geschichte gewesen sei, sagte ich mit voller Überzeugung Ja und fügte hinzu, er habe sie auch hübsch und spannend erzählt.

»Geschichtenerzähler scheinen in diesem Haus wie Pilze zu wachsen«, sagte ich.

Aber Onkel Harry meinte, das läge an etwas anderem. »Auf kleinen Inseln mit wenig Auslauf muss man sich die Zeit vertreiben«, sagte er. »Da kommt man von selber ins Geschichtenerzählen. Aber jetzt mach ich das Licht aus. Schlaf schön, Boy! Gute Nacht!«

»Gute Nacht, Onkel Harry!«

Das Licht erlosch, und ich schlief so rasch ein, dass ich nicht einmal mehr feststellen konnte, wie müde ich an diesem aufregenden Tag geworden war.

Der Sonntag, an dem wir gewaltig frühstücken und über Siegfried reden. Enthält das letzte Abenteuer des Herkules und die Geschichte eines Hummer-Urgroßvaters, stellt einen Helden nach dem Herzen des alten Boy vor und endet höchst merkwürdig.

Der
Sonntag

Das Frühstück am nächsten Morgen war ungeheuerlich, denn erstens war Sonntag und zweitens waren unsere Seeleute im Haus. Es gab, weil die Seeleute das erwarteten, Saures und Salziges, nämlich gebratene und saure Heringe, Räucherschinken und scharfen Käse, und es gab, weil Sonntag war, auch Süßes, nämlich Korinthenbrot, viele Marmeladen, Zimtsterne und Hefegebäck.

Draußen war es bitterkalt. Der Winterwind brachte sogar ein wenig Schnee mit. Drinnen war es gemütlich warm. Der Tisch bog sich förmlich unter dem, was die Obergroßmutter aufgetragen hatte.

Außerdem war es der vierte Advent, der letzte Sonntag vor dem Weihnachtsfest. Die ganze Insel roch nach Zimtsternen, Pfefferkuchen und Anisplätzchen. Wir waren alle in der allerbesten Stimmung und die Obergroßmutter hatte, weil Sonntag war, nichts dagegen einzuwenden, dass das Gespräch sich um Dichter und Helden, Geschichten und Balladen drehte. Sie machte sogar ein paar gescheite Bemerkungen über Helden. Nur in einem Punkt ließ sie nicht mit sich reden: Sie hielt – genau wie die Untergroßmutter – den Königssohn Siegfried mit seiner Tarnkappe und dem Wunderschwert Balmung für den größten Helden der Weltgeschichte.

»Er war ja auch so wunder-wunderschön!«, schwärmte sie. Offenbar war sie der Meinung, dass Helden schön sein müssten.

Hierauf bemerkte mein Urgroßvater wohlgelaunt, er habe nichts dagegen, dass Helden schön seien, nur stünden Schönheit und Heldentum leider in gar keinem Zusammenhang miteinander.

»Wenn es eine Beziehung geben sollte zwischen einem großen mutigen Herzen und einem schönen Körper«, fügte er hinzu, »dann ist diese Beziehung so geheimnisvoll, dass wir sie besser nicht erklären sollten. Und was Siegfried angeht, liebe Margaretha, so war er unzweifelhaft ein schöner Junge, der ganz hübsch fechten, reiten und springen konnte. Aber ein Held, scheint mir, war Siegfried nicht.«

»Wie?«, rief die Obergroßmutter. »Siegfried kein Held? Willst du klüger sein als unsere alten Dichter? Kennst du das schöne Gedicht nicht, das es über ihn gibt?«

»Ich kann mich nur dunkel daran erinnern«, erwiderte scheinheilig mein Urgroßvater. »Kannst du es uns aufsagen?«

»Natürlich kann ich das!«

Wenn es um ihre Ideale ging, war die Obergroßmutter zu allem bereit, sogar zum Gedichteaufsagen.

Also hörten wir aus ihrem Munde das uns allen wohlbekannte Gedicht von Ludwig Uhland:

Siegfrieds Schwert

Jung Siegfried war ein stolzer Knab,
Ging von des Vaters Burg herab,

Wollt rasten nicht in Vaters Haus,
Wollt wandern in alle Welt hinaus.

Begegnet ihm manch Ritter wert
Mit festem Schild und breitem Schwert.

Siegfried nur einen Stecken trug,
Das war ihm bitter und leid genug.

Und als er ging im finstern Wald,
Kam er zu einer Schmiede bald.

Da sah er Eisen und Stahl genug;
Ein lustig Feuer Flammen schlug.

»O Meister, liebster Meister mein,
Lass du mich deinen Gesellen sein.

Und lehr du mich mit Fleiß und Acht,
Wie man die guten Schwerter macht!«

Siegfried den Hammer wohl schwingen kunnt:
Er schlug den Amboss in den Grund;

Er schlug, dass weit der Wald erklang
Und alles Eisen in Stücke sprang.

Und von der letzten Eisenstang
Macht er ein Schwert so breit und lang:

»Nun hab ich geschmiedet ein gutes Schwert,
Nun bin ich wie andre Ritter wert;

Nun schlag ich wie ein andrer Held
Die Riesen und Drachen in Wald und Feld.«

Die Obergroßmutter hatte die letzte Zeile förmlich über den Tisch gedonnert. Nun sah sie meinen Urgroßvater triumphierend und herausfordernd an.

Der alte Boy lächelte, als er sagte: »Das Gedicht, liebe Margaretha, beweist genau das, was ich sagen will, nämlich, dass Siegfried zwar kein Held, aber ein sehr guter Handwerker war.«

»Ein Handwerker?«, fragte der Obergroßvater mit gekrauster Stirn.

»Ja, ein Kriegshandwerker. Weiter war er nichts. Wenn ihr wollt, kann ich das auch mit einem Gedicht erklären.«

»Von wem stammt es?«, fragte spitz die Obergroßmutter. »Von einem berühmten Dichter oder von dir?«

»Von mir«, antwortete bescheiden der Urgroßvater. »Willst du es trotzdem hören, Margaretha?«

»Es bleibt mir wohl nichts anderes übrig«, seufzte sie.

Da trug mein Urgroßvater, in viel sanfterem Tone als die Obergroßmutter, sein Gedicht vor:

Jung Siegfried

Jung Siegfried gilt auf dieser Welt
Als kühner Mann und stolzer Held.

Doch frag ich, klingt's auch sonderbar:
Ob er ein Held wahrhaftig war?

Er hatte doch als Königssohn
Die beste Ausgangsposition.

Die Ahnen waren ehrenwert,
Und er besaß das beste Schwert.

Und ritt er auf den Gegner ein:
Das beste Pferd der Welt war sein.

Spion war ihm ein jeder Spatz;
Denn er verstand ihn, Satz für Satz.

Weil er – wie keiner sonst im Land –
Hirsch, Hase, Reh und Spatz verstand.

Die Tarnungskappe machte ihn
Unsichtbar, wenn es nötig schien.

Auch unverwundbar war der Wicht.
(Ein Schulterstück nur war es nicht.)

Ein Bad in rotem Lindwurmblut
Schuf ihm die Rüstung fest und gut.

Kurzum: Jung Siegfried war als Held
In allen Dingen gutgestellt.

Er lernte Heldsein nach und nach
Wie andre Tennis oder Schach.

Doch frage ich: Ist Fachmannschaft
Gleich Heldenmut und Heldenkraft?

Ich glaube fast, es irrt die Welt:
Er war ein Fachmann, doch kein Held!

Der Obergroßvater, Onkel Jasper und Onkel Harry widmeten sich hingebungsvoll dem Frühstück, als das Gedicht zu Ende war. Ich merkte, dass sie nichts sagen wollten, ehe die Obergroßmutter sich geäußert hatte. Und die äußerte sich denn auch sofort und ungewöhnlich sanftmütig. Sie sagte: »Der alte Dichter nennt Siegfried einen Helden und führt ihn in dreizehn Strophen vor. Du, Vater, brauchst vierzehn Strophen, um umständlich zu erklären, dass er kein Held ist. Findest du das nicht komisch?«

»Nein, Margaretha«, erwiderte gleichermaßen sanftmütig der Urgroßvater. »Ich finde das natürlich. Wer etwas behauptet, zum Beispiel, dass Siegfried ein Held sei, der kann uns diese Behauptung kurz und bündig ins Gesicht schleudern. Ohne lange Erklärung. So wie der Herr Professor Uhland mit seinem Gedicht. Wer aber eine solche Behauptung widerlegen will und nicht einfach eine Gegenbehauptung zurückschleudert, der muss überlegt und logisch, und das heißt umständlich, beweisen, dass die Behauptung falsch ist. Ich wundere mich sogar, dass ich nur eine Strophe mehr benötigt habe als Ludwig Uhland.«

Mein Urgroßvater stützte sich auf den Tisch, stand mühsam auf und ergänzte, während er zwischen Tisch und Tür langsamen Schrittes hin- und herging: »Etwas behaupten kann jeder Dummkopf – womit ich nicht sagen will, dass der Professor Uhland ein Dummkopf war –, aber eine Behauptung stichhaltig zu widerlegen, dazu bedarf es schon einer guten Portion Gescheitheit. Boy und ich müssen unseren Grips ganz schön anstrengen, um all die alten gedankenlosen Behauptungen über Helden Stück für Stück zurechtzurücken oder auch zu widerlegen.«

Plötzlich blieb mein Urgroßvater stehen, sah uns verwundert an und fragte: »Was habt ihr denn? Warum glotzt ihr mich denn so an?«

»Weil du gehen kannst, Urgroßvater!«, sagte ich.

»Ach du liebe Güte!« Der alte Boy schlug sich mit der flachen Hand vor die Stirn. »Jetzt habe ich vor lauter Gerede vergessen, dass

ich euch das verheimlichen wollte. Ich habe nämlich Geschmack am Leben im Rollstuhl bekommen. Man wird so schön in Ruhe gelassen.«

»Und man kann die anderen herumscheuchen«, ergänzte bissig die Obergroßmutter.

Der alte Boy, der sich schwerfällig wieder am Tisch niederließ, sagte: »Nun übertreib nicht, Margaretha! Gescheucht habe ich dich noch nie. Ich war froh, wenn du mich im Rollstuhl meinen Gedanken überlassen hast. Stimmt das, Boy?«

Ich nickte, konnte mich aber doch nicht enthalten zu fragen, seit wann er denn wieder gehen könne.

»Eigentlich erst seit vorgestern«, erklärte der Alte. »Aber ein bisschen geübt habe ich in meinem Schlafzimmer jeden Tag. Man kann sich doch im Alter nicht einfach im Rollstuhl zur Ruhe setzen. Da muss man ja glatt verrosten.«

»Man verrostet nicht gleich, wenn man auf seine Gesundheit achtet«, fuhr die Obergroßmutter auf. »Wenn du in deinem Alter noch den jungen Heißsporn spielen willst, Vater, dann geht's dir am Ende wie dem alten Recken in der Ballade.«

»Wie ist es dem denn ergangen, Margaretha?«

Da zitierte die Obergroßmutter:

»Noch einmal beugte sich der starke Wille
Des alten Recken auf, zum letzten Mal.
Dann sank er um. Es wurde totenstille.
Und einen Toten trug man aus dem Saal.«

Mein Urgroßvater lachte schallend. »Du bist und bleibst eine Schwarzmalerin!«, rief er seiner Tochter zu. »Aber du bist es deshalb, weil du um uns besorgt bist, Margaretha. Ich verstehe das.«

Trotz der zuweilen heftigen Rede und Gegenrede war es ein behagliches Frühstück am Wintersonntagmorgen geblieben. Der Obergroßvater hatte, während er Heringe zerlegte und vom Schinken nahm, mit sichtlichem Vergnügen dem Streitgespräch gelauscht und die Onkel Harry und Jasper waren dadurch zumindest nicht in ihrem Appetit gestört worden. Auch ich war dem Geplänkel mit Spaß gefolgt. Aber der Balladenschluss vom alten Recken, der sich noch einmal aufbäumt, ehe er umsinkt, hatte wieder diese unbestimmte Angst um den Urgroßvater in mir geweckt. So, als sei eine Alarmglocke angeschlagen worden.

Als wir nach dem Frühstück zum Speicher hinaufstiegen – der alte Boy schweren, aber sicheren Schrittes –, setzte sich der Gedanke in mir fest, mein Urgroßvater habe sich meinetwegen kurz vor seinem Ende noch einmal aufgerafft zu diesem Gang durch die Galerie der wahren und der falschen Helden. Mir kam es so vor, als ob er mir ein Opfer bringe.

Dieser Gedanke war so stark, dass aus ihm, als wir uns im Südzimmer dichtend niederließen, eine Geschichte wurde.

Mein Urgroßvater hatte erklärt, jetzt, da er und ich wieder gehen könnten, würde man mich wohl in mein Elternhaus zurückbeordern. Also sollten wir unsere Heldenkunde zu einer Art Abschluss bringen.

»Ich schlage vor«, sagte er, »dass jeder von uns einen Helden nach seinem Herzen schildert. In einer Geschichte.«

Damit war ich einverstanden. Und so schrieb ich auf einer Tapetenrückseite im Südzimmer – mit dem Blick auf das graue Meer – die Geschichte eines Hummer-Urgroßvaters nieder. Mein Urgroßvater schrieb – ein Plättbrett über die Lehnen des Rollstuhls gelegt – die Geschichte seines Lieblingshelden.

Wir schrieben beide lange daran. Noch nach dem Mittagessen beschrieben wir unsere Tapeten. Aber wir beendeten die Geschichten, ehe das Licht angeknipst werden musste.

Ich wollte, begierig auf das Urteil des Urgroßvaters, wie üblich sogleich mit dem Vorlesen beginnen; aber der alte Boy sagte: »Lass uns die Heldenkunde schön sorgfältig beenden, Boy. Ich habe dir als Beispiel eines uralten Heldenbildes jeden Tag ein Abenteuer des Herkules erzählt. Lass mich jetzt die letzte seiner berühmten Taten schildern, ehe wir unsere beiden neuen Helden vorstellen. Einverstanden?«

Ich sagte: »Einverstanden!« Und wieder einmal wurde das schwarze Wachstuchheft aufgeklappt und ich vernahm:

Die Ballade von Herkules und den Paradiesäpfeln

Herr Herkules, der große Held,
Man kennt ihn aus der Sage,
Der hat die angsterfüllte Welt
Befreit von mancher Plage.

Selbst als er ohne Zorn und Hass
Nach goldnen Äpfeln suchte,
Bezwang er manches Übel, das
So mancher Mensch verfluchte.

Sein Herr und Bruder wollte gern
Von ihm als letzte Gaben
Vom Paradiese, weit und fern,
Drei goldne Äpfel haben.

Wer nun das Totenreich verließ,
Geht froh und voll Erwarten
Zum Gegenteil, zum Paradies,
Zum Hesperidengarten.

Dort blühte, seit die Welt begann,
Auf blumigem Gelände,
Auf dem kein Wesen sterben kann,
Ein Frühling ohne Ende.

In ewiger Jugend lebten die
Drei Hesperidenschwestern.
Nur seliges Heute kannten sie,
Kein Morgen und kein Gestern.

Allein kein Sterblicher erfuhr,
Wo ihre Gärten lagen.
Der alte Nereus wusste nur
Den Weg dorthin zu sagen.

So ging der Held zu Nereus hin,
Dass der den Weg ihm zeige.
Doch Nereus sprach mit starrem Sinn:
»Ich sage nichts. Ich schweige.«

Da hat der Held, von Mann zu Mann,
Gerungen mit dem Alten,
Der sich behend verwandeln kann
In vielerlei Gestalten.

Der zauberkundige Nereus war
Bald Wasser und bald Feuer.
Das hinderte – und das ist klar –
Den Helden ungeheuer.

Versuchte Herkules, den Greis
Als Wasser aufzusaugen,
Dann sprang ihm Nereus, rot und heiß,
Als Feuer in die Augen.

Doch hat des Helden Leidenschaft
Gesiegt nach einer Weile:
Er blies mit voller Lungenkraft
Den Alten in zwei Teile.

Als Nereus halb in Flammen stand,
War es um ihn geschehen:
Die Flamme wich. Es blieb im Sand
Der halbe Nereus stehen.

Laut rief er da: »Ich füge mich!«
Gehorsam rückwärts wallte
Die Flamme. Und zum Helden schlich
Der unversehrte Alte.

Alsbald fand Nereus sich bereit,
Den Weg ihm zu erklären.
Da schied der Held in Dankbarkeit
Und ging davon in Ehren.

Der Weg zum Paradies jedoch
War lang und war beschwerlich.
Ein Riese und ein Wasserloch,
Die wurden ihm gefährlich.

Er schlug den Kerl, bezwang den Fluss,
Auf dem Libellen wippten,
Zog weiter nach dem Kaukasus
Und weiter nach Ägypten.

Zum Schluss kam er bei Atlas an.
Der trug mit viel Beschwerde,
Wenn auch als großer starker Mann,
Allein die ganze Erde.

Herr Atlas sprach: »Ich will für dich
Den Apfeldiebstahl wagen.
Doch unterdes musst du für mich
Allein die Erde tragen!«

Der Held war dazu gern bereit.
Er ließ sich schwer bepacken
Und trug so eine ganze Zeit
Die Welt auf seinem Nacken.

Als Atlas endlich wiederkam,
Vom Paradies noch heiter,
Rief dieser Bursche ohne Scham:
»Nun trag die Erde weiter!

Jetzt kannst du für die dumme Welt
Die Trägerdienste machen!
Doch glaub mir: Wer die Erde hält,
Der, Freund, hat nichts zu lachen!«

»Das glaub ich«, sprach mit müdem Blick
Herr Herkules. »Doch bitte,
Rück mir die Welt auf dem Genick
Ein bisschen mehr zur Mitte!«

Dazu fand Atlas sich bereit.
Mit gnädiger Gebärde
Tat er die Äpfel hübsch beiseit
Und übernahm die Erde.

Doch hatte er sie vom Genick
Des Helden kaum genommen,
Da ist ihm dieser mit Geschick
Und augenblicks entkommen.

Er hörte zornig den durch List
Entkommnen Helden sagen:
»Du selber, weil du Atlas bist,
Sollst diese Erde tragen!«

Dann hob der Held die Äpfel auf
Und trug sie ohne Pause,

Im Gang, im Schritt, im Trab, im Lauf,
Zum Bruder und nach Hause.

Dort stand Eurystheus vor der Tür
Und sprach zum Helden gnädig:
»Die goldnen Äpfel schenk ich dir.
Nun bist du frei und ledig.«

Der Held sprach: »Gut!« Er überließ
Die schwer erkämpften Früchte
Erfreut erneut dem Paradies.
Und aus ist die Geschichte.

So holte Herkules, der Held,
An Mut und Kraft ein Riese,
Als allererster Mann der Welt
Die Frucht vom Paradiese.

Zum letzten Mal klappte das schwarze Wachstuchheft zu, zwischen dessen beiden Deckeln nach meiner Meinung das ganze Leben und Leiden des Herkules eingeschlossen war.

Mein Urgroßvater legte das Heft zu den Seemannskalendern auf die Kommode zurück und fragte:

»Wie fandest du dieses Abenteuer?«

»Lustig und lang, Urgroßvater.«

»Oh«, lachte der alte Boy, »was die Länge dieses Abenteuers angeht, so muss ich dir sagen, dass ich es gewaltig gekürzt habe. Den Kampf mit dem Riesen Antaios und mit dem aufgeschwollenen Gebirgsfluss habe ich nur gestreift. Den Adler des Prometheus, die Bösewichte Busiris und Emathion und auch die Göttin Athene, die die Äpfel zu den Hesperiden zurückbrachte, habe ich überhaupt nicht erwähnt.«

»Warum nicht, Urgroßvater?«

»Weil sich an dieses Abenteuer des Herkules unzählige andere Märchen, Mythen und Sagen angehängt haben wie Schlingpflanzen. Die habe ich abgeschnitten. Was übrig bleibt, ist die Geschichte von den Äpfeln aus dem Paradies.«

»Die auch in der Bibel steht, Urgroßvater.«

»Richtig, Boy, auch in der Bibel steht eine solche Geschichte. Aber Adam musste, als er den Apfel gepflückt hatte, zusammen mit Eva das Paradies verlassen und für immer und ewig die Last der Erde tragen. Herkules, Sohn des Göttervaters, trägt eine Weile nur die Last der Erde. Dann ist er frei und wird später als ein Halbgott sogar unsterblich. So versetzt er das Paradies wieder in seinen ursprünglichen Zustand: Er gibt die Äpfel zurück.«

»Warum dann dieser ganze Aufwand, Urgroßvater? Warum erst all diese Mühsal, um die Äpfel zu bekommen, wenn sie hinterher zurückgegeben werden?«

»Nun, Boy, dem Herkules selber lag ja nicht viel an den Äpfeln. Er holte sie im Auftrage des Eurystheus.«

»Aber dem lag ja auch nichts daran!«, rief ich.

»Eben das, Boy, ist der Kern der Sache. Im Grunde lag niemandem etwas an diesen Äpfeln. Die Heldentat wurde um ihrer selbst willen getan und bewundert. Ohne dass sie einen Sinn, ohne dass sie einen Zweck gehabt hätte. Wie eine Vase. Wie ein Bild. Wie eine Statue.«

»Eine Heldentat ohne Sinn ist doch Blödsinn, Urgroßvater.«

»Finde ich auch, Boy! Aber die alten Griechen, denen Schönheit ungeheuer viel galt, fanden das nicht. Trotzdem müssen sie gemerkt haben, dass mit diesem Heldenideal etwas nicht stimmte.«

»Wieso?«

»Weil die späteren Taten des Herkules, die nicht in meinem Heft stehen, völlig anderer Art sind, Boy. So soll er der Königin von Lydien, Omphale, gedient und Wolle gesponnen haben, während sie in seinem Löwenfell herumlief. Er soll in einem Anfall von Wahnsinn seine eigenen Kinder gefressen haben und durch eine Salbe seiner eifersüchtigen Frau qualvoll umgekommen sein, ehe er unter Blitz und Donner auf einer Wolke als Halbgott zum Himmel fuhr.«

»War dieser Herkules denn nun ein Held oder nicht, Urgroßvater?«

»Da muss ich dir drei verschiedene Antworten geben, Boy: Als Mensch, der als Berufsheld immerzu Gefahren suchte, war er wie Siegfried Kriegshandwerker und kein Held. Als Muster, das die Alten sich vor Augen stellten, war Herkules, der auch ins dunkle Totenreich hinabstieg, oft genug ein Held. Als Mythe ist er weder Held noch Unheld, sondern Symbol für Schönheit und Schrecklichkeit der Sonne.«

Ich saß nach dieser komplizierten Antwort meines Urgroßvaters eine Weile nachdenklich auf der Ottomane. Dann zählte ich an drei Fingern laut ab: »Mensch Herkules, Muster Herkules, Mythos Herkules. Willst du mir das noch einmal genau auseinanderklamüsern, Urgroßvater?«

»Nein, Boy, das will ich nicht. Vielleicht kann ich es nicht einmal. Ich wollte dir nur ein altes Heldenmuster samt seinen Löchern und Rissen vorführen. Im Übrigen wollten wir zwei über Menschen reden. Und unter Menschen gibt es keine geborenen Helden und keine Helden von Beruf. Der Mensch gerät unfreiwillig in Lagen, die Heldentugenden erfordern. Ob er in solchen Lagen allerdings zum Helden wird, das steht bei ihm. Ich glaube, meine Geschichte zeigt das deutlich.«

»Meine, glaube ich, auch, Urgroßvater.«

»Dann lies du zuerst deine Geschichte vor, Boy. Aber schütte zuallererst Kohlen nach und mach das Licht an.«

Ich tat, was er verlangte. Dann breitete ich die Tapete auf dem Tisch aus und las vor:

Die Geschichte vom uralten Hummer

In der Nähe einer kleinen Insel lebte auf den Felsklippen unter dem Meer ein uralter Hummer namens Krapp. Seines Alters und seiner Weisheit wegen wurde er von allen Hummern hoch geachtet und ehrfurchtsvoll »Herr Krapp« genannt. Deshalb wollen auch wir ihn so nennen.

Leider waren die Klippen, auf denen Herr Krapp lebte, für Hummer sehr gefährlich. Die Fischer der nahe gelegenen Insel ließen hier nämlich allsommerlich Fangkörbe ins Meer hinab, in denen leckeres Hummerfutter lag. Dieses Futter lockte die Hummer in Scharen herbei. Nicht wenige mussten ihr Leben lassen, weil sie von den appetitlichen Düften betört worden waren.

Fiel ein Hummer auf den Trick und in einen Fangkorb hinein, fand er niemals wieder den Weg in die Freiheit. Er wurde am nächsten Morgen mit dem Fangkorb in die Höhe gezogen, von harten Fischerhänden am gepanzerten Rücken gepackt, an Land für eine kurze Frist in ein Aquarium gesteckt, hernach verkauft, gekocht und schließlich, wenn das kochende Wasser seinen blauen Panzer gerötet hatte, zusammen mit allerfeinster Mayonnaise verspeist.

Nur Herr Krapp, der weise Alte, wusste, was jenen Hummern geschah, die sich in einen Fangkorb locken ließen. Er wurde nicht müde, seine Artgenossen mit beredten Worten vor den tückischen Fallen der Menschen zu warnen.

Aber er warnte vergeblich. Hunger und Unwissenheit lockten allsommerlich viele Hundert Hummer in die Fangkörbe und Kochtöpfe der Menschen.

Immer wieder führte Herr Krapp junge und alte Hummer zu den Fangkörben und zeigte ihnen durch das Netzwerk die Gefangenen, die, nachdem sie sich satt gefressen hatten, jammerten und heulten und vergeblich darum baten, befreit zu werden. Denn wer darin saß, der war rettungslos verloren.

Leider befreiten Herrn Krapps Warnungen die Hummer weder von ihrem Hunger noch von ihrer Unwissenheit. Sie schlugen die Warnungen des weisen Alten in den Wind (oder besser: ins Wasser) und ließen sich vom Futter scharenweise in die Körbe locken. »Was weiß denn der Herr Krapp schon von der Oberwelt?«, redeten sie sich ein. »Vielleicht geht es uns da oben ganz gut!«

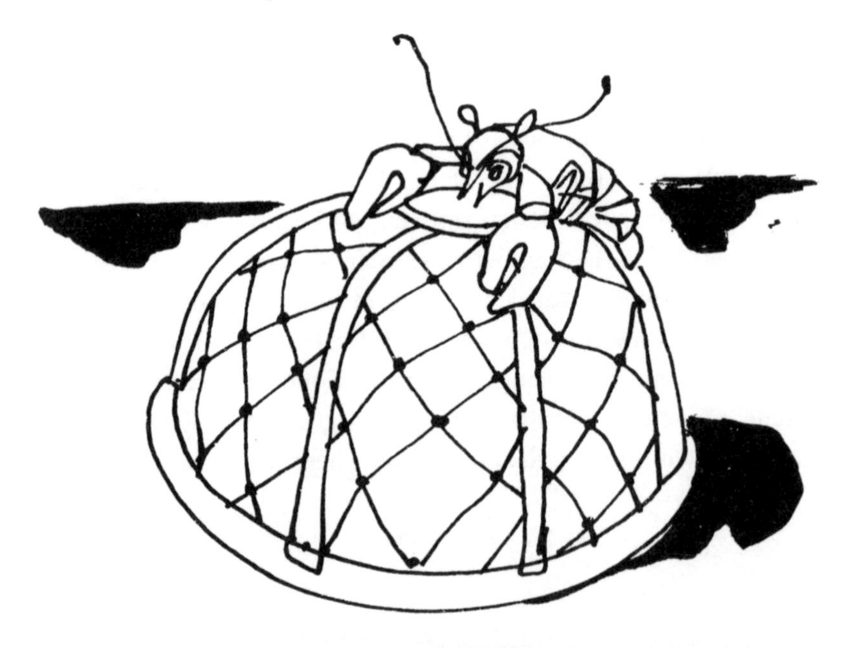

Nun hatte Herr Krapp einen Urenkel, einen klugen Hummerknaben, der Klippy gerufen wurde. Dieser Hummerknabe hatte bisher als Einziger den Rat seines Urgroßvaters befolgt und die Fangkörbe gemieden.

Aber eines Sommers, als das Futter besonders knapp war, konnte auch Klippy dem Aroma nicht widerstehen, das aus dem Fangkorb seine Riecher kitzelte.

»Schau, Urgroßvater«, sagte er zu Herrn Krapp, »die Hummer, die in die Körbe gekrochen sind, schmatzen und fressen sich satt, ohne dass jemand ihnen etwas Böses tut. Vielleicht irrst du dich und es geschieht ihnen gar nichts Schlimmes.«

»Kind, Kind«, seufzte Herr Krapp, »warte ab, bis sie satt sind und hilflos den Weg in die Freiheit suchen. Dann wirst du klüger!«

Aber der junge Klippy wurde an diesem Tage so sehr vom Hunger geplagt, dass der leere Magen seinen Verstand umnebelte. Zum ersten Male zweifelte er an den Worten seines Urgroßvaters und war fest entschlossen, in einen Fangkorb zu klettern, um am leckeren Futter seinen Hunger stillen zu können.

Als Herr Krapp merkte, dass seine Warnungen nichts mehr nützten, wurde er sehr traurig und sagte: »Ehe du in den Korb kletterst und elend umkommst, lieber Klippy, steige ich selbst in das tödliche Netz hinein, damit mein Beispiel dir zur Warnung diene.«

Insgeheim hoffte der alte Herr Krapp, dass Klippy jetzt doch zurückschrecken und Vernunft annehmen würde.

Aber Vernunft kann keinen Hunger stillen. Deshalb sagte der hungrige Klippy: »Steig du nur hinein in den Korb mit Futter, Urgroßvater. Du wirst sehen, es ist ungefährlich. Bald schon wirst du mir den Rat geben, dir zu folgen.«

Da kletterte der gute Alte schwerfällig und schwermütig in einen Fangkorb hinein, fiel, wie es die List der Menschen vorsah, auf den Boden des Korbes und war gefangen.

»Nun, Urgroßvater«, rief Klippy ihm durch das Netz des Korbes zu, »ist es gefährlich? Warum machst du dich nicht über das Futter her?«

»Ich brauche kein Futter mehr«, seufzte der Alte. »Bald, vielleicht schon morgen, lebe ich nicht mehr. Und mit dem Tod vor Augen hat man keinen Hunger.«

Jetzt wurde dem jungen Hummer klar, dass Herr Krapp ihn zu Recht gewarnt hatte. Jetzt bangte er plötzlich um das Leben seines Urgroßvaters und rief ängstlich: »Rede nicht so. Komm wieder heraus! Ich helfe dir!«

»Zu spät!«, sagte Herr Krapp im Korbe. »Ich komme hier niemals wieder heraus, auch nicht mit deiner Hilfe, Klippy. Aber sei nicht traurig. Ich bin alt und hätte ohnedies nicht mehr lange zu leben gehabt. Lebe wohl und warne du fortan die Hummer vor der List der Menschen!«

Klippy, dessen lange Fühler vor Rührung zitterten, wollte noch etwas entgegnen; aber da wurde der Fangkorb in die Höhe gezogen und der Urgroßvater entschwand für immer aus seinen Augen und aus seinem Leben.

Seitdem ist Klippy der Warner unter den Hummern. Er stellt sich ihnen in den Weg, wenn sie hungrig zu den Fangkörben eilen. Manche rettet er dadurch. Aber die meisten werden gefangen, gekocht und gefressen. Immerhin ist es gut, dass es wieder unter den

Hummern einen Warner gibt, den der alte Herr Krapp durch sein Opfer zur Vernunft gebracht hat.

Mit schräg geneigtem Kopf sah mich mein Urgroßvater nach der Geschichte an und sagte: »Der alte Hummer, der sich für andere opfert, ist ein Held, Boy. Ohne jeden Zweifel. Aber wenn das etwas mit uns beiden zu tun haben soll, wenn du etwa meinst, ich opfere mich in irgendeiner Weise für dich auf, dann irrst du dich. Ich habe das Zeug zum Helden nicht. Zum Glück hat das Leben mir auch nie eine Heldentat abverlangt. Glücklich der Mensch, der keine Heldentaten nötig hat.«

Eilfertig versicherte ich dem alten Boy, dass es mir hauptsächlich um die Geschichte und keineswegs um uns beide zu tun gewesen sei. Ich merkte erst jetzt deutlich, dass ich in meiner Angst um den Urgroßvater eine Geschichte geschrieben hatte, die in meiner Vorstellung eben doch mit uns beiden zu tun hatte.

Aber der Alte nahm mir meine Versicherung ab und erklärte als gewissenhafter Heldenforscher, dass dieser Herr Krapp sozusagen ein vollkommener Held gewesen sei: »Unfreiwillig, ja widerwillig, Boy, wurde er zum Helden. Aber als seine Tat beschlossene Sache war, nahm er sie ruhig auf sich, opferte sich und stand durch, was einer durchstehen muss, den man lebendigen Leibes ins heiße Wasser wirft. Mein Held, Boy …«

Es war der Ruf »Kaffeee«, der meinen Urgroßvater hinderte, von seinem Helden zu sprechen. Wir mussten von der Höhe der Heldenforschung wieder einmal hinabsteigen in die Niederung, in der die Hausfrauen regieren. Aber das taten wir gar nicht ungern. Auch Forscher und Dichter haben Zunge, Gaumen und Magen, und knuspriges frisches Gebäck schmeckt Dichtern wie Seeleuten gleich gut.

Wie es mein Urgroßvater vorausgesagt hatte, spielte die Obergroßmutter schon mit dem Gedanken, mich wieder zurück in mein

Elternhaus zu schicken. Sie sagte es uns nicht offen ins Gesicht; aber sie spielte immer wieder darauf an, dass wir ja nun beide wieder gut zu Fuß seien und dass die Heizung für den Speicher immens viel koste und dass das Leben schließlich nicht aus Dichten allein bestehe.

Die Seeleute grinsten uns bei diesen Bemerkungen, die hübsch über die Kaffeestunde verteilt waren, von der Seite an. Auch den Urgroßvater schienen sie zu belustigen. Mich aber ängstigte dieser Glaube an die Gesundung des Urgroßvaters. Ich glaubte nicht daran. Ich war überzeugt, er spiele uns etwas vor und es stehe schlimmer um ihn als je zuvor. Ich sah, dass die Hand, mit der er die Kaffeetasse nahm, zitterte, und ich meinte, er habe nie so blaue Lippen gehabt wie an diesem Tag. Mir wäre es am liebsten gewesen, wenn er auf das Vorlesen seiner Geschichte verzichtet hätte, ins Bett gestiegen wäre und den Arzt gerufen hätte.

Aber niemand außer mir schien eine Befürchtung zu hegen. Der alte Boy kletterte nach dem Kaffee in aufgeräumtester Stimmung hinauf auf den Speicher, um mir seinen Helden vorzustellen, und plumpste dort behaglich in den Rollstuhl, als sei er die Gesundheit in Person.

»Die Geschichte, Boy, die ich dir vorlesen will«, sagte er, »spielt im alten Montenegro, das ich selbst noch besucht habe. Es war eine Welt kriegerischer Männer, die sich allesamt für Helden hielten. Es war eine Welt der Mörder aus Tradition und Verblendung, eine Welt der falschen Helden, in der ich aber einen wirklichen Helden gefunden habe. Müssen wir Kohlen nachschütten?«

»Nein, Urgroßvater! Für die Länge einer Geschichte reichen sie.«

»Schön. Dann hör zu.«

Von demselben Plättbrett, auf dem er die Geschichte geschrieben hatte, las er jetzt ab:

Die Geschichte eines Knaben

In Montenegro, im Land der Schwarzen Berge, lebte in alter Zeit ein Knabe namens Blascho Brajowitsch, ein Junge mit großen, fast schwarzen Augen, der als einziges Kind der näheren und weiteren Umgebung lesen und schreiben konnte, weil auf seinen eigenen Wunsch ein Pope es ihm beigebracht hatte. Während die anderen Knaben seines Alters sich danach sehnten, so schnell wie möglich Gewehr und Schnauzbart eines Mannes zu verdienen, hatte Blascho nur den einen Wunsch: ein kluger Mann zu werden, wenn möglich, so klug wie der Herr Fürstbischof.

Blaschos Vater Rade, ein Hüne von zwei Zentnern, der die Pistole und die Flinte liebte wie ein anderer seine Pfeifen, pflegte seinen Sohn »das Lamm« zu nennen. Oft fragte er sich sorgenvoll: »Was wird aus ihm, wenn die Wölfe kommen?«

Der große starke Mann meinte mit den Wölfen nicht etwa die

Türken, gegen die in den montenegrinischen Bergen seit undenklichen Zeiten ein immerwährender Kleinkrieg geführt wurde, er meinte vielmehr Männer des eigenen Volkes, Männer aus Stämmen, die mit seinem Stamm verfeindet waren.

Denn zu jener Zeit gab es in Montenegro die Blutrache noch, die sich wie eine unheilbare Krankheit fortschleppte von Geschlecht zu Geschlecht. Das Heldenlied vom kleinen Volk, das in seinen Bergen der türkischen Übermacht widerstand, war zugleich das Trauerlied eines unter sich in Zwist und Hader zerrissenen Volkes. Man erschoss oder erschlug Männer aus anderen Stämmen, weil jene zuvor Männer des eigenen Stammes umgebracht hatten. Mord zeugte Mord in einer Kette ohne Ende.

Da es nun als schimpflich galt, an Frauen und Kindern Rache zu üben, da nur ein erschlagener Mann der Blutrache Genüge tat, war es eine männermordende Zeit. Blaschos Mutter und seine beiden Schwestern unterbrachen ängstlich Gespräche oder Arbeit, wenn sie in den Bergen einen Schuss dröhnen hörten; denn es konnte sein, dass statt eines Bären oder Hasen Rade, der Mann und Vater, getroffen war.

Der Knabe Blascho hatte anfangs wie die Frauen gezittert, wenn das Echo eines Schusses von den Felswänden herübergeworfen worden war. Aber mit zunehmendem Alter und mit dem Fortschritt, den er im Lesen und Schreiben machte, hatte die Angst um den Vater nachgelassen. Er hatte erkannt, dass sein Vater zwar wild und rasend wie ein Stier sein konnte, aber zugleich von füchsischer Vorsicht war. Er bangte nicht mehr um des Vaters Leben. Stattdessen machte er sich von Jahr zu Jahr mehr Gedanken über die Männer, die mit Pistolen und Flinten rächend durch das Gebirge zogen und Haus, Feld und Kinder den Frauen überließen. Gewöhnlich lag er in seinem weißwollenen Hirtenmantel mit den schwarzen Säumen unter dem Granatapfelbaum im Gras und hatte die Bibel bei sich, das einzige Buch, das es im Hause gab.

Blascho hatte in der Bibel Sätze gelesen, die er noch nie aus montenegrinischem Munde gehört hatte, nicht einmal aus dem Munde des Fürstbischofs. Er hielt diese Sätze deshalb für Geheimnisse, die man nicht aussprechen durfte. In ihnen war die Rede davon, dass man seinen Feinden vergeben, ja dass man sie sogar lieben solle. Es war die Rede von den Friedfertigen, die selig sind, und von denen, die in das Himmelreich kommen, wenn sie nur wie die Kinder werden.

Wenn Blascho, im Grase liegend, hinaufsah in das Grün des Granatapfelbaums, dessen Früchte sich im steigenden Jahr langsam röteten, dann dachte er oft an den lustigen Onkel Petar, den Bruder seiner Mutter, der eines sonnigen Sonntagmorgens schreiend und wie ein Betrunkener schwankend unter diesen Baum getaumelt war. Zwischen den Fingern seiner Hände, die er über dem Herzen gehalten hatte, war ein Strom von Blut hervorgequollen und hatte Wams und Hose besudelt. Hier unter diesem Baum war Onkel Petar vornüber ins Gras gestürzt. Hier hatte er gerufen: »Rächt mich! Es waren …«

Die Stimme war gebrochen, ehe Onkel Petar seine Mörder ge-

nannt hatte, und er war gestorben, ehe die Frauen aus dem Haus gekommen waren.

Damals hatte den Knaben Blascho ein heiliger Zorn gepackt. Wer die Mörder waren, hatte er gewusst. Auch wenn Onkel Petar den Namen nicht mehr hatte aussprechen können. Es konnten nur die Djuranowitschi gewesen sein, mit deren Stamm sein eigener Stamm in Blutsfehde lag.

Im Angesicht des toten Onkels hatte Blascho geschworen, später, wenn er Gewehr und Schnauzbart besäße, das Blut Onkel Petars mit Blut zu vergelten.

Aber inzwischen war der Mörder gerichtet und der Tote gerächt. Blaschos eigener Vater hatte den Mörder erstochen, als er ihm oben im Gebirge in einem Wald begegnet war. Dafür hatten die Djuranowitschi den jüngsten Bruder des Vaters erschlagen, den schönen Onkel Leka mit den schmalen Händen.

Nun war es nicht mehr Onkel Petar, sondern Onkel Leka, der ge-

rächt werden musste. Die blutige Fehde ging weiter ohne Hoffnung auf ein Ende, Auge um Auge, Zahn und Zahn, Mann um Mann.

Blascho, der Knabe, dachte jetzt mit Schaudern daran, dass er vielleicht eines Tages den kleinen Ivo erschlagen oder erschießen musste, Ivo, mit dem zusammen er Forellen gegriffen hatte, ehe er erfuhr, dass Ivo zu den Djuranowitschi gehörte, mit denen sein Stamm in Blutsfehde lag.

Blascho fand keinen Sinn mehr in dem blutigen Ringelspiel. Er dachte an die geheimnisvollen Sätze in der Bibel, er träumte von einem Reich des Friedens. Er wollte nicht mitspielen in diesem Karussell der Rache.

Deshalb schoss ihm vor freudiger Bestürzung wahrhaftig das Blut in den Kopf, als sein Vater eines Tages erklärte, am folgenden Freitag werde zwischen den beiden feindlichen Stämmen, den Djuranowitschi und den Brajowitschi, seinem eigenen Stamm, eine Verhandlung stattfinden, um die Blutrache zu beenden.

»Was ist denn geschehen, Vater?«, fragte Blascho in atemloser Verwunderung.

»Dein Großonkel Krso ist von einem Djuranowitsch erschossen worden. Ich hätte ihn noch am selben Tag rächen können …«

»Aber du hast es nicht getan?«, unterbrach Blascho den Vater.

»Nein. Ich habe es nicht getan. Der Bruder des dreimal verfluchten Mörders, Hazmi, der den türkischen Glauben und einen türkischen Namen angenommen hat, küsste mir den Schuh und bat um Verzeihung und um Frieden zwischen unseren Häusern.«

»Und du hast Frieden gemacht!«, rief Blascho freudig erregt.

»Nein, mein Sohn. Das habe ich nicht. Wie kann ich, ein Einzelner, für das ganze Haus den Frieden schließen. Ich habe nur nachgezählt, wie viele Männer wir und die Djuranowitschi noch haben. Und ich habe festgestellt, dass unsere beiden Häuser bald ohne Stammhalter sein werden, wenn die Fehde nicht aufhört. Deshalb müssen wir auf die Rache verzichten und Frieden machen. Ob es uns passt oder nicht. Freitag ist die Verhandlung. Du führst mein Pferd.«

»Gern, Vater«, sagte Blascho. Und wieder schoss ihm Röte ins Gesicht.

Die Verhandlung fand auf einer Wiese unterhalb einer schroffen Felswand statt. Es war gegen Mittag. Die Sonne stand hoch. Die Luft war heiß und trocken. Wie üblich kamen alle zur Verhandlung: die Frauen in Schwarz, die Kinder hell gekleidet, die Männer bunt und in bestickten Wämsern, manche mit zwei Pistolen in den Schärpen.

Jede Familie erschien in der Ordnung, die die Sitte vorschrieb: Der Hausherr ritt, der älteste Sohn führte das Pferd, die übrige Familie folgte zu Fuß.

Widerwillig und fast als Letzter kam so auch der hünenhafte Rade mit seiner Familie an. Hoch aufgerichtet saß er auf dem schwarzen Hengst, den Blascho führte. Bei den Brajowitschi, die links lagerten und deren Ältester er jetzt war, ließ er halten. Behänd trotz seiner mehr als fünfzig Jahre sprang er vom Pferd und setzte sich auf einen Feldstein, den ein junger Mann bei seiner Ankunft wortlos geräumt hatte. Noch im Sitzen überragte er alle anderen Brajowitschi.

Nach einem kurzen Gruß murmelte er mit einem Blick auf die Djuranowitschi, die auf der anderen Wiesenseite saßen: »Ich wünschte, sie führen alle zur Hölle.«

»Dann fahren wir mit, Rade«, sagte ruhig ein alter Hirte, der unverheiratet und kinderlos und daher ohne Stimme im Rat war.

Rade entgegnete ihm: »Ja, wir fahren mit zur Hölle, wenn die Fehde weitergeht. Deshalb sind wir ja hier. Gott sei's geklagt.«

Als die Verhandlung, die zwischen den verheirateten Männern geführt wurde, begann, machte Rade sich rasch zum Wortführer seines Hauses und bald holte man ihn als Verhandlungsführer in die Mitte der Wiese.

Blascho sah, als sein Vater gerade zur Wiesenmitte schritt, zufällig Ivo, seinen einstigen Spielgefährten, auf der gegenüberliegenden Seite zwischen den Djuranowitschi sitzen und winkte ihm zu. Ivo machte große Augen, weil er entweder Blascho nicht gleich wiedererkannte oder weil der Gruß aus dem feindlichen Lager ihn überraschte. Dann aber winkte er zurück. Zwei Knaben schlossen Frieden, als die erwachsenen Männer noch weit von einem Friedensschluss entfernt waren.

Beide Häuser klagten noch um einen Toten, als man um Frieden verhandelte; denn dem Mord an Blaschos Onkel Krso war der Mord an einem Djuranowitsch vorausgegangen. So war für eine Verhandlung, die Vernunft und Mäßigung regierten, die Zeit nicht eben günstig; Schmerz und Trauer um die Toten waren noch frisch. Und der Zorn auf die Mörder, mühsam unterdrückt, konnte jeden Augenblick ausbrechen wie ein Stauwasser, das sein Wehr sprengt.

Doch Blaschos Vater Rade hielt, weil er den eigenen Zorn ge-

meistert hatte, einstweilen auch den Zorn der anderen im Zaum. Als wieder und wieder Klagen um Väter, Männer oder Brüder laut wurden, als beide Seiten gar anfingen, die Toten gegeneinander aufzurechnen, hob er die Hände, brachte auf beiden Seiten die Ankläger zum Schweigen und rief: »Wir sind hier nicht zusammengekommen, um Tote zu zählen und neuen Zorn zu wecken. Wir sind zusammengekommen, damit unsere Häuser nicht verderben wie ein Acker ohne Frucht. Seht euch doch um! Wie viele Frauen sind ohne Männer? Wie viele Kinder ohne Väter? Es gibt auf beiden Seiten genügend Gewehre und genügend sichere Hände, um auch die letzten Frauen noch zu Witwen, auch die letzten Kinder noch zu Waisen zu machen. Wir wollen nicht aus Angst und Schwäche Frieden schließen, sondern aus Überlegung und Vernunft. Wenn das Blut der Vergangenheit wieder über uns kommt, wenn wir mit den Gewehren statt mit Worten reden, wird es für beide Seiten keine Zukunft geben! Für keinen Djuranowitsch! Für keinen Brajowitsch! Dann sterben unsere Häuser aus und die Letzten des

Stammes werden zahnlose Witwen sein, die ihre Männer und Väter verfluchen bis ins letzte Glied.«

Blascho hatte, als der Vater redete, an dessen Lippen gehangen wie sonst nur an den Lippen des Fürstbischofs, wenn der an hohen Feiertagen predigte. Von der Vernunft als Lenkerin der Taten hatte er den Vater noch nie reden hören. Ihm war, als sprenge der Vater den fürchterlichen Ring der Blutrache, in den sie alle eingeschlossen waren. Er hätte aufspringen und den Vater umarmen mögen. Aber in dieser Welt der stolzen Männer hätte er sich damit nur lächerlich gemacht.

Es waren im Übrigen nicht wenige unter den Versammelten, die Rade für die Rede dankbar waren. Als Rade die offenen Hände beiden Seiten hinhielt und ausrief: »Wer für den Frieden ist, der stehe auf!«, da sprangen viele der Versammelten sogleich auf die Beine und nach und nach erhoben sich alle anderen, bis vor der Felswand wie ein ungemähtes Feld Kopf an Kopf die Mitglieder der beiden Häuser standen.

»So sei denn Friede!«, rief Rade mit erhobenen Händen. Aber bevor er beim Senken der Hände das Kreuz schlagen konnte, schrie aus dem Lager der Djuranowitschi die alte Andja, die Mutter eines der jüngst Erschlagenen: »Nein! Es wird kein Friede, ehe mein Sohn gerächt ist!«

»Aber er ist gerächt, Mutter!«, sagte ihr jüngster Sohn, der neben der immer noch am Boden Hockenden stand.

»Ist er gerächt, wenn sein Mörder lebt?«, kreischte die Alte. »Ich kenne seinen Mörder. Dort steht er!«

Sie stand auf und zeigte auf einen jungen Mann im Lager der Brajowitschi. Dann hockte sie sich wieder hin und rief, Hohn auf dem faltigen Ziegengesicht, ihrem Sohn zu: »Ein Feigling, wer seinen Bruder nicht rächt! Ein Hundsfott, wer den Tod mehr fürchtet als die Schande!«

Die ganze Versammlung stand noch starr nach diesem plötzlichen Ausbruch der Alten, als der Sohn der Andja blitzschnell die Pistole zog, anlegte, ohne lange zu zielen, und abdrückte.

Der Knall des Schusses wurde von der Felswand zurückgeworfen. Aber der Aufschrei der Menge überdröhnte ihn. Hände fuhren an die Pistolen. Kinder weinten. Frauen packten die Hände ihrer Männer, um sie am Schießen zu hindern.

Ein Augenblick hätte genügt, den kaum gewonnenen Frieden wieder in blutigste Fehde zu verwandeln, wenn nicht Rade abermals die Arme hochgeworfen und – sich gegen seine eigenen Leute wendend – gebrüllt hätte: »Wer ist getroffen?«

Die Frage hatte den beginnenden Tumult überdröhnt und war verstanden worden.

Jetzt wurde es plötzlich still, weil jedermann auf Antwort wartete. Aber es kam keine Antwort. Die Stille wurde so tief, dass man aus der Ferne ein Schaf blöken hörte.

Da wandte Rade sich den Djuranowitschi zu und sagte: »Wäre einer der Unseren getroffen worden, so lebte auch dein jüngster Sohn nicht mehr, Andja. Willst du, dass es so weitergeht? Willst du niemals Enkelkinder in den Schlaf singen? Willst du ohne Nachkommenschaft sterben, als morscher Baumstumpf, der kein Blatt mehr treibt? Dein Sohn ist kein Feigling. Wir alle wissen es. Du hast ihm Krieg befohlen und er hat geschossen. Nun befiehl ihm den Frieden. Steh auf!«

Mit verschlossenem Gesicht, in dem die kleinen Augen misstrauisch die schweigend um sie versammelten Leute musterten, erhob die alte Frau sich ganz langsam aus ihrer Kauerstellung. Ihr Mund war zusammengepresst. Sie sprach kein Wort. Aber sie stand auf. Als Letzte.

Nun wiederholte Rade, die offenen Handflächen den beiden Lagern hinhaltend: »So sei denn Friede!« Dann schlug er langsam das Kreuz.

Der Frieden war geschlossen. Einige der Versammelten setzten sich wieder. Andere fingen stehend Gespräche an. Viele gingen hin und her, und auch von einem Lager zum anderen gab es Bewegung.

Die alte Andja brach, ohne mit ihrem Sohn ein Wort zu wechseln, als Erste auf. Ihr folgten bald andere, die daheim bei Schnaps und Wein den ereignisreichen Tag noch einmal besprechen wollten.

Die Familien, die noch Väter hatten, brachen in der vorgeschriebenen Ordnung auf: Der Hausherr ritt, der älteste Sohn führte das Pferd. Die übrige Familie folgte zu Fuß.

In dieser Reihenfolge wollte auch Rade mit seiner Familie aufbrechen. Er rief seinen Sohn Blascho, dass er das Pferd übernehme. Aber der Junge antwortete: »Ich kann nicht, Vater. Du musst mich aufsitzen lassen.«

»Wie?« Rade fuhr herum und sah erst jetzt seinen Sohn an, der ungewöhnlich blass und nach vorn gekrümmt im Grase saß.

»Was ist denn? Ist dir nicht gut?«, fragte er ungeduldig. Der große Mann hasste Krankheiten, bei anderen ebenso wie bei sich selbst. Aber der Junge sah wirklich schlecht aus. Das Gesicht war blutleer. Die Augen waren fiebrig.

»Was ist denn?«, wiederholte Rade. Diesmal stellte er die Frage weniger barsch. Er beugte sich sogar hinab und legte eine Hand auf die Stirn des Knaben. Sie glühte. Blascho fieberte.

Jetzt wurde Rade unruhig. »Was ist denn geschehen?«, fragte er zum dritten Mal.

Da schlug sein Sohn den Hirtenmantel ein wenig zurück und Rade sah, dass der Knabe unter dem Mantel seine Hand auf eine Wunde hielt. Die Finger und das Leinenhemd waren blutverschmiert.

Rade richtete sich wieder auf, sah mit großen Augen und halb offenem Mund auf seinen Sohn nieder und fragte: »Bist du etwa …?«

»Ja«, sagte Blascho. »Ich bin getroffen worden.« Er schloss den Mantel wieder über seiner Wunde und fügte hinzu: »Aber es hat niemand gemerkt. Du brauchst es auch keinem zu sagen. Bring mich weg. Der Militärdoktor von Podgoritza macht mich sicher schnell gesund.«

Der Vater stand fassungslos vor seinem Sohn. Er hatte das dumpfe Gefühl, dass dieser Junge im Grase ein Held sei. Aber Helden, die

leiden und schweigen, kannte er nicht. Zorn auf diesen Dulder und Schweiger wuchs in seinem Bauch. Und Zorn auf den Schützen, auf den Sohn der alten Andja. Und Zorn auf die Djuranowitschi. Und Zorn auf diesen Frieden, der ihn hinderte, das Gewehr zu nehmen und Rache zu üben für ein Kind, das getroffen war.

Mit ungewöhnlich rauer Stimme fragte er: »Warum sagst du mir erst jetzt, dass du getroffen bist?«

»Sonst hätte es keinen Frieden gegeben, Vater.«

»Ein Frieden, der mit dem Blut eines Kindes erkauft ist, Blascho, ist das ein Frieden?«

»Der Militärarzt kuriert mich bestimmt, Vater. Und mein bisschen Blut spart so viel anderes Blut.«

Plötzlich merkte Rade, dass der Junge, der schwer atmete, Schmerzen hatte und einer Ohnmacht nahe war. Er merkte, dass der Militärarzt jetzt wichtiger war als Ehre, Rache, Zorn und lange Reden. Ohne ein weiteres Wort hob er Blascho auf, setzte ihn in den Sattel seines Pferdes und fragte: »Kannst du dich mit einer Hand halten?«

Blascho nickte.

Da rief Rade die Frauen heran, die sich in einiger Entfernung mit Nachbarinnen unterhielten, und sagte zu ihnen: »Wir gehen. Achtet mir auf den Jungen. Er muss zum Doktor.«

Ehe die Frauen Zeit zu Fragen hatten, griff Rade in den Zaum des Hengstes und führte ihn von der Wiese.

Wer noch auf dem Versammlungsplatz stand, sah mit Staunen, dass etwas Unerhörtes geschah: Der Älteste eines Hauses, ein großer stolzer Krieger vor dem Herrn, führte für seinen Sohn das Pferd, für einen Knaben, dem noch kein Flaum aus Kinn und Wangen spross.

Ein Djuranowitsch, der sich für witzig hielt, rief: »Glaubst du, im Frieden müssen die Wölfe die Lämmer hüten, Rade?«

Rade antwortete im Weitergehen: »Dieses Lamm hat euren Frieden mit seinem Blut bezahlt, Djuranowitsch. Andjas Sohn hat ihn getroffen. Er aber hat keinen Laut von sich gegeben, damit du deinen faulen Frieden hast.«

Jetzt, da sie wussten, was geschehen war, schrien die drei Frauen auf. Die Männer ringsum aber betrachteten staunend oder bewundernd den Knaben auf dem Pferd. Als der alte kinderlose Hirte die Kappe vom Kopf zog, taten alle Männer es ihm nach.

Als die Geschichte zu Ende war und die Tapete, von der mein Urgroßvater sie abgelesen hatte, sich von selbst wieder einrollte, hätte ich am liebsten auch eine Kappe vom Kopf gezogen, wenn ich eine aufgehabt hätte.

Wie weit war meine scheinbar heldenhafte törichte Kabelkletterei entfernt von der Tat dieses montenegrinischen Jungen, der mitten in einer Welt stolzer Männer sein Leben aufs Spiel setzte, um diese Männer am gegenseitigen Totschießen zu hindern! Vor allem, dass er mit seiner Wunde, seinem Schmerz und dem Gedanken, vielleicht etwas Falsches zu tun, so allein gewesen war, machte den kleinen Knaben in meinen Augen so groß.

Eben das schien auch mein Urgroßvater an diesem Blascho Brajowitsch zu bewundern. Er sagte: »In Montenegro, Boy, lebten die Männer ein heroisches Dasein, wie manche Professoren es nennen. Jeder Mann trachtete danach, ein Held zu werden. Und was ein Held, ein heroj, war, das war genau festgelegt. Er musste mutig, verschlagen, waffenkundig und im Umbringen erfolgreich sein. Der kleine Blascho war das Gegenteil von allem. Er war eher ängstlich als mutig. Verschlagenheit lag ihm fern. Er konnte keine Waffe handhaben, noch nicht einmal das Wort. Und im Umbringen hatte er weder Erfahrung noch Erfolg. Er war ein Held gegen alle Tradition und Sitte. Er richtete unter den riesigen Heldenbildern der Überlieferung, ohne es zu wissen, ein neues Heldenbild auf und es spricht für die Männer auf der Wiese, dass sie vor ihm die Köpfe entblößten. Unbewusst bezeugten sie damit, dass sie am Grabe eines toten Heldenbildes standen.«

Mein Urgroßvater drückte mit Daumen und Zeigefinger die Lider gegen die Augäpfel, weil das Lesen seine alten Augen wahrscheinlich angestrengt hatte, und ergänzte dann: »Die Menschenliebe, die nach außen oft so hilflose Gebärden hat, überwältigt die Menschen am Ende eben doch. Hass kann gut und heilsam sein. Wer die Menschen liebt, muss die Tyrannen hassen. Aber Menschenliebe, die ohne Umweg über den Hass nur einfach liebt, ist größer, mehr und schöner, Boy. Und jetzt will ich ein Nickerchen machen, bevor deine Obergroßmutter uns schon wieder zum Essen ruft.«

Der alte Boy legte sich in seinem Rollstuhl zurecht, als habe er etwas Abschließendes gesagt und als erwarte er weder Fragen noch Einwände. So begab ich mich ins Parterre.

Aber als ich auf den untersten Stufen stand und schon im Begriff war, ins Wohnzimmer zu gehen, hörte ich, dass meine Eltern und andere Verwandte da waren und dass wieder einmal über uns Dichter gesprochen wurde. Da zögerte ich und spielte wieder den heimlichen Lauscher.

Ich hörte meine Mutter sagen, dass sie unsere Gedichte und Geschichten gern einmal lesen möchte, und ich hörte darauf die Obergroßmutter erwidern: »Sobald der Junge wieder bei euch ist, kannst du dir hier alles angucken. Die Geschichten stehen auf ausrangierten Tapeten. Sie haben sie auf die Rückseiten geschrieben. Eine Geschichte von Jan Janssen ist auch dabei. Die Balladen von Herkules stehen in einem Heft.«

Ich beschloss, die Verwandtschaft im Gespräch über uns Dichter nicht zu stören, ging auf Zehenspitzen wieder in den ersten Stock und dort – ich weiß nicht mehr, warum – ins Schlafzimmer meines Urgroßvaters. Vielleicht hoffte ich, dort Gedichte oder Geschichten zu finden, die ich noch nicht kannte. Ich weiß es nicht mehr. Tatsache ist, dass ich wirklich einen Vers fand, den ich noch nicht kannte und der mir einen grausamen Schrecken einjagte.

In einem Seemannskalender war zwischen zwei Seiten ein Stück Karton eingeklemmt, grau und unansehnlich und anscheinend nichts als ein Lesezeichen. Aber aus irgendeinem Grund zog ich dieses Stück Karton heraus und sah in der mir wohlbekannten Schrift meines Urgroßvaters einen Vers darauf. Er war, recht besehen, sein Testament für mich. Ich las, mit wachsendem Erstaunen und Erschrecken:

Leb wohl, kleiner Boy, und denke daran,
Dass mancher zur rechten Zeit sterben kann.
Dann ist er kein Heros. Dann ist er kein Held.
Er geht nur zur rechten Zeit aus der Welt.
Der Tod, kleiner Boy, setzt allem das Maß:
Dem Feigling, dem Helden, dem Ernst und dem Spaß.
Der Spaß hat ein Ende, wenn's Leben verrinnt.
Drum würze dir damit dein Leben, mein Kind!
Ich hab es getan. Doch der Spaß ist nun aus.
Ich geh hin, wo ich herkam. Ich gehe nach Haus.
Ich war nie ein Held. Doch ich blieb mir stets treu.
Bleib du es dir auch!

Dein alter Boy

Was ich getan habe, nachdem ich den Vers gelesen hatte, weiß ich nicht mehr genau. Ich weiß nur, dass ich das Gefühl hatte, mein Herzschlag setze aus und meine Glieder seien nicht mehr bewegungsfähig.

Er weiß also ganz genau, dass bald seine letzte Stunde geschlagen hat, dachte ich. Er spielt mir nur den starken Mann vor. In Wirklichkeit …

Plötzlich hatte ich das Gefühl, dieser Schlaf oben im Rollstuhl sei der letzte Schlaf meines Urgroßvaters, der ewige, endgültige, der Schlaf, aus dem es kein Erwachen gibt.

Da stürzte ich, das Stück Karton immer noch in der Hand, hinauf auf den Speicher und riss, lärmend und atemlos, die Tür zum Südzimmer auf, in dem das Licht noch immer brannte.

Mein Urgroßvater sah mich mit weit aufgerissenen Augen an. Er war erschrocken, weil ich wohl auch erschrocken aussah.

Aber als er das Stück Karton in meiner Hand entdeckte, fing er zu lächeln an. Sein Gesicht wurde von diesem Lächeln förmlich erhellt.

»Helden, kleiner Boy«, sagte er, »lernen, mit dem Gedanken an den Tod zu leben. Aber im Grunde genommen müssen wir alle das lernen. Auch wir zwei – machen wir uns nichts vor – haben in dieser Woche mit dem Gedanken an den Tod gelebt. Mit dem Gedanken an meinen eigenen Tod, Boy. Aber ich bin viel zäher, als der Doktor glaubt.«

Das seltsame Lächeln wich nicht vom Gesicht meines Urgroßvaters. Es nahm in seiner Miene sozusagen Wohnung.

»Eigentlich«, fuhr er fort, »lebe ich ja noch eine ganze Weile über meinen Tod hinaus. Nicht unbedingt mit dieser Hose und diesen wollenen Socken und diesen schwarzen Schuhen. Aber als Figur. In dir. Und in den Büchern.«

»In welchen Büchern, Urgroßvater?«, fragte ich erstaunt.

»In deinen Büchern, Boy!«

Das Lächeln wurde immer weiter. Wie eine Lampe, die heller wird.

»Du schenkst mir eine kleine Art Unsterblichkeit. Du machst mich lange leben!«, fuhr er fort. »Ich habe mich in deinem Geist als Denkmal etabliert. Nicht ohne Eigensucht und Eitelkeit, mein Kleiner. Ob ich jetzt eines Tages wirklich sterbe oder nicht, ist gar nicht wichtig. In zwanzig oder dreißig Jahren wirst du das begreifen.«

Das Lächeln machte sein Gesicht fast leuchten, als er schloss: »Geh jetzt zurück zu deinen Eltern. Ich kann wieder gehen. Den Rollstuhl, der das Denken so erleichtert, stelle ich vorläufig wieder in die Ecke. Und ob und wann ich sterbe, Boy, ist ganz egal. Mein bisschen Weisheit ist gut aufgehoben. Und du wirst nie mehr falsche Helden loben.«

Völlig verwirrt stand ich da und starrte meinen Urgroßvater an. Erst mehr als zwanzig Jahre später habe ich begriffen, was er meinte.

Ich hoffe, dieses Buch beweist es.